intercodes

collection
INTERCODES
méthode de français
langue étrangère

NIVEAU 1

adultes débutants

- livre de textes
  (200 pages)
- livre d'exercices
  (128 pages)
- livret méthodologique
  (32 pages)
- 4 cassettes

NIVEAU 2

adultes

- livre de textes
  (208 pages)
- livre d'exercices
  (144 pages)
- enregistrements sur cassettes

livre de textes

Annie Monnerie
agrégée de lettres modernes,
professeur au Centre international d'études pédagogiques
(Sèvres)

dessins de Maurice Rosy

LIBRAIRIE LAROUSSE
17, rue du Montparnasse, et 114, boulevard Raspail, 75006 Paris

Expérimentation

Marie-Thérèse BRÉANT (C.I.E.P.)

Pierre DAVOUST (C.I.E.P.)

Georges GONNET (C.I.E.P.)

José PEGUÉRO (C.I.E.P.)

Maquette

Serge LEBRUN

Simone PIERRE

Iconographie

Jacques PIERRE

Coordination - révision

Odile LAJEUNESSE

ISBN 2-03-800005-0

TABLE DES MATIÈRES

PRÉFACE

Le deuxième volet de la méthode Intercodes *s'inspire des principes mis en application dans* Intercodes 1 *et doit amener les apprenants — adultes étrangers — à une bonne connaissance de la langue écrite et parlée par les Français d'aujourd'hui.*

Intercodes 2 *reprend, renforce et élargit les acquis linguistiques des deux premiers volumes. L'approche grammaticale prend en compte les aspects lexicaux, et la distinction traditionnelle entre lexique et grammaire s'efface au profit de la communication.*

Dans les thèmes abordés, on retrouve les principales préoccupations des Français et les grands aspects de la France contemporaine sont traités dans des textes qui prennent progressivement le caractère de l'authenticité. Les dessins, photos et documents constituent un appui pédagogique appréciable et sont susceptibles d'exploitations variées aussi bien à l'écrit qu'à l'oral.

Les nombreux exercices proposés ont été élaborés en fonction d'une armature grammaticale très souple mais néanmoins solidement construite. Ils doivent permettre aux étudiants de mieux dominer la phrase complexe, d'acquérir la maîtrise des relations logiques et d'élargir et de nuancer leurs possibilités de communication.

Les actes de parole, présentés ponctuellement dans le niveau 1 sont ici repris systématiquement avec une diversification des modes d'expression suivant les registres et les contextes.

*Les enseignants de français langue étrangère ont fait bon accueil au premier niveau d'*Intercodes *et la méthode a prouvé son efficacité et la justesse de ses conceptions. Le niveau 2 est donc le bienvenu et je suis heureux de présenter aujourd'hui ce travail réalisé par un professeur du Centre international d'études pédagogiques de Sèvres, où il a été expérimenté.*

Jean AUBA

Inspecteur général de l'Éducation nationale,
Directeur du Centre international d'études pédagogiques de Sèvres.

1. PETITE ENFANCE

1. L'école maternelle en France

En 1959, le gouvernement français a décidé que l'enseignement en France serait obligatoire de 6 à 16 ans. Mais aujourd'hui, beaucoup d'enfants vont à l'école avant 6 ans ; et 80 % des enfants de 4 ans vont à la maternelle.

C'est une école très populaire en France, et les parents se rendent compte qu'elle a beaucoup d'importance pour le développement des petits : en effet, quand une femme travaille, c'est l'école qui la remplace un peu auprès de ses enfants.

C'est là qu'ils apprennent à s'exprimer, à développer leur vocabulaire et à réfléchir. Chez eux, ils sont souvent passifs, et restent quelquefois des heures devant la télévision. À la maternelle, au contraire, ils peuvent participer à toutes les activités.

Quand les moments de conversation sont terminés, on joue, on dessine, on peint, on chante. C'est avec les jeux que l'imagination se développe le mieux, et chacun choisit celui qu'il préfère.

Quand les enfants sont fatigués, ils peuvent se coucher et dormir un peu.

Les classes sont toujours très agréables. Sur les murs, il y a souvent de grands dessins en couleurs : des fleurs, des maisons, des animaux...

Et on fait tout pour que les enfants s'y sentent bien...

2. Pour ou contre l'école le samedi matin ?

Le lundi matin, les professeurs reçoivent souvent un petit « mot » expliquant l'absence d'un élève parti en week-end dès le vendredi soir.

Et quelques parents réclament même qu'on supprime les heures de cours du samedi matin, pour les placer le mercredi, jour de congé traditionnel des élèves.

En effet, la plupart des parents sont occupés pendant la semaine.
Un week-end entier leur permettrait donc de profiter de leurs enfants, de faire du sport avec eux, comme M. B..., qui a la chance d'habiter à Annecy :

— « Tous les week-ends, j'emmène mes enfants faire du ski ou du bateau. Ils rentrent avec une mine magnifique. Quelquefois, je les conduis au parc de la Vanoise. Ils découvrent les animaux et les plantes. Nous passons des week-ends très sains. Mes enfants sont très décontractés le lundi matin ; ils ont de bons résultats en classe. »

Pourtant les professeurs et les médecins accusent les parents de faire passer leur plaisir avant l'intérêt de leurs enfants. En effet, les expériences menées jusqu'à maintenant paraissent plutôt négatives.

Ainsi, dans une école de l'Essonne, on avait décidé que les cours du samedi matin seraient reportés au mercredi. Or tous les professeurs ont constaté que les élèves étaient fatigués le jeudi, et ne faisaient plus rien le vendredi. Ils ne se reposaient pas pendant le week-end, si bien qu'ils étaient encore épuisés le lundi.

Les professeurs et les médecins pensent donc que la semaine d'un enfant doit être coupée ; qu'il ne faut pas lui demander de se lever tôt cinq fois de suite ; qu'il doit garder au milieu de la semaine une journée pour se détendre, et une soirée sans devoirs à faire.

L. L.

Figenwald-Gamma

L. L.

L. L.-Charles

3. Conseils du Centre national de la protection de l'enfance

Une enquête récente a montré que la plupart des accidents dont les jeunes enfants sont victimes arrivaient à la maison.

Le ministre de la Santé a donc décidé que la télévision ferait chaque mois une émission destinée aux mères de famille, pour les informer des dangers que courent leurs enfants et des mesures à prendre en cas d'accident.

En attendant ces émissions, voici quelques conseils élémentaires :

• Rangez vos médicaments là où votre enfant ne peut pas les attraper. Un enfant est toujours attiré par les médicaments, surtout quand ils ressemblent à des bonbons. D'autre part, s'il vous voit en prendre il essaiera de vous imiter, et il avalera peut-être quelque chose de dangereux.

- Tournez vers le mur la queue des casseroles qui sont sur le feu.

- Empêchez votre enfant de s'approcher des radiateurs électriques, des fenêtres, des prises de courant.

- Méfiez-vous de tous les objets pointus, et quand vous avez fait de la couture, rangez vos ciseaux et vos aiguilles.

Il faut aussi que votre enfant découvre ce qui risque de lui faire mal : ce qui pique, ce qui brûle, ce qui coupe... Il suffit qu'il approche la main du feu, ou que vous le piquiez (légèrement, bien sûr) avec une aiguille. Évidemment, il ne faut pas le faire vivre dans la peur des accidents. Mais vous devez lui montrer où est le danger.

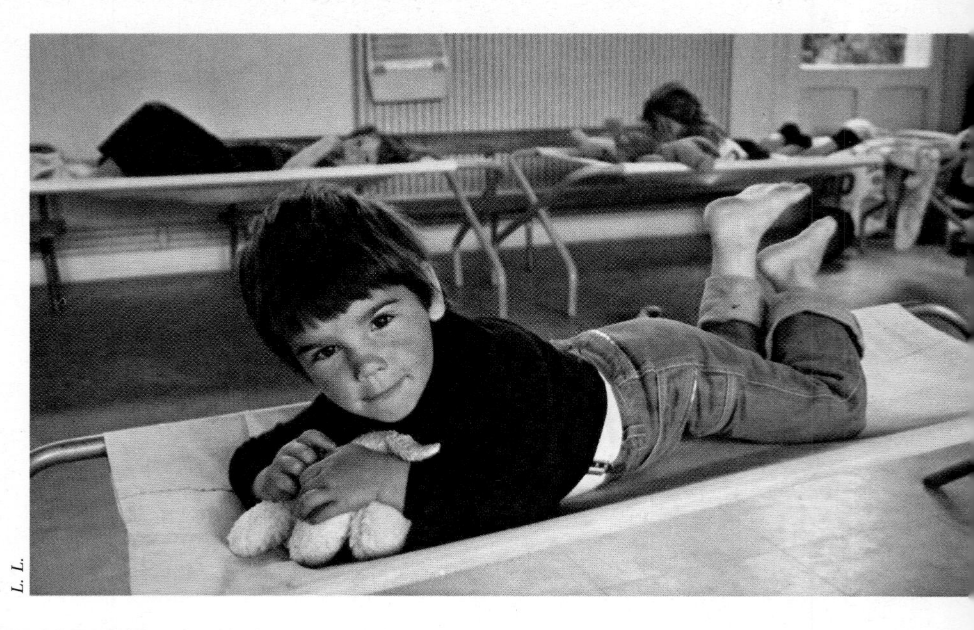
L. L.

L. L.

L. L.

L. L.

L. L. - Andersson

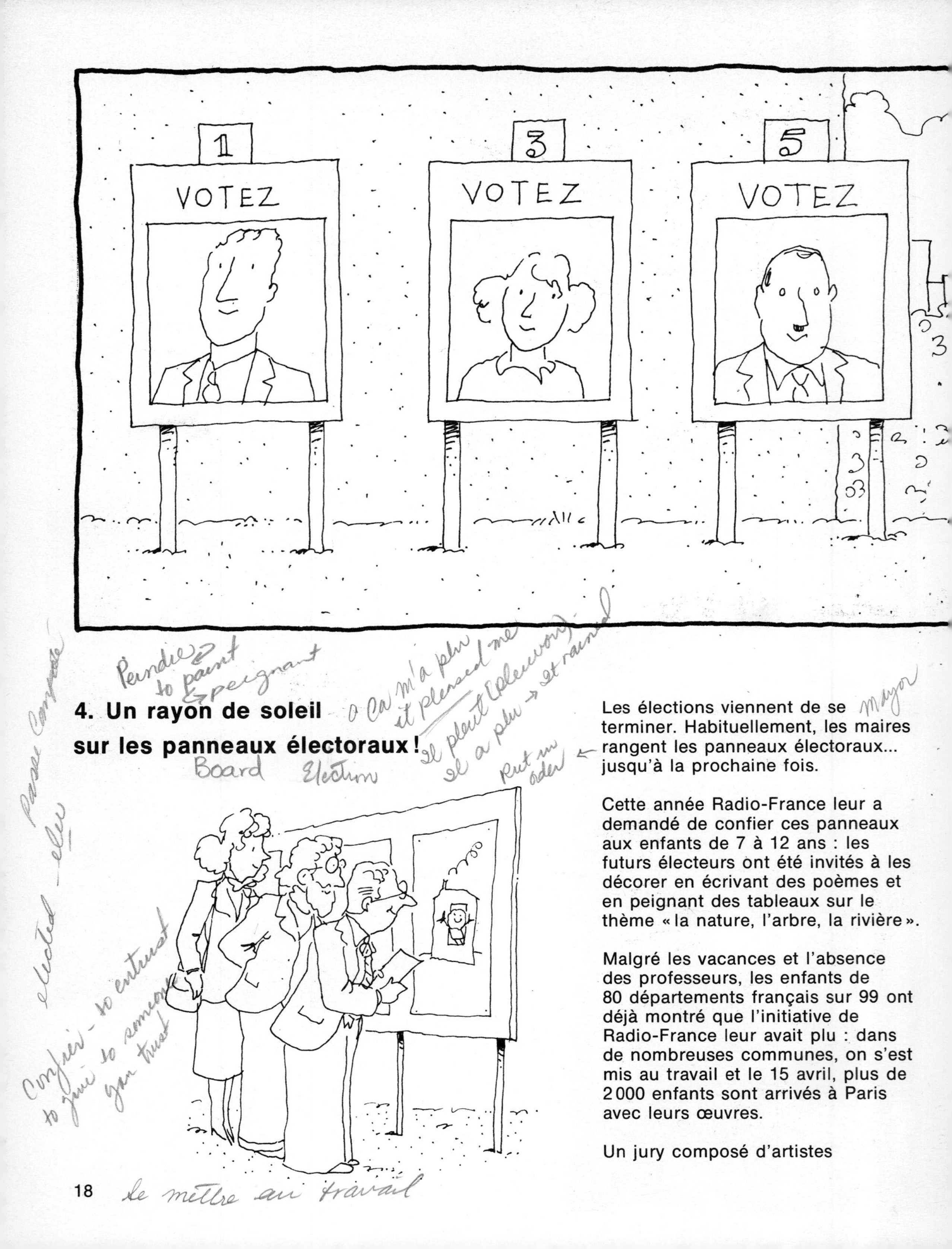

4. Un rayon de soleil sur les panneaux électoraux !

Les élections viennent de se terminer. Habituellement, les maires rangent les panneaux électoraux... jusqu'à la prochaine fois.

Cette année Radio-France leur a demandé de confier ces panneaux aux enfants de 7 à 12 ans : les futurs électeurs ont été invités à les décorer en écrivant des poèmes et en peignant des tableaux sur le thème « la nature, l'arbre, la rivière ».

Malgré les vacances et l'absence des professeurs, les enfants de 80 départements français sur 99 ont déjà montré que l'initiative de Radio-France leur avait plu : dans de nombreuses communes, on s'est mis au travail et le 15 avril, plus de 2 000 enfants sont arrivés à Paris avec leurs œuvres.

Un jury composé d'artistes

examinera ces œuvres et offrira des récompenses aux meilleurs peintres et aux meilleurs poètes.

D'autre part, le syndicat des marchands de graines a promis qu'il donnerait des graines à tous les enfants, pour qu'ils fleurissent le jardin de leur maison ou la terrasse de leur appartement.

2. SANTÉ

1. Bilan de santé

Si vous désirez subir un examen de santé, vous êtes invité à vous inscrire au centre médical de la ville où vous vous trouvez.
Vous choisirez avec la secrétaire du centre le jour qui vous conviendra le mieux.

Vous vous présenterez, le matin, dès l'ouverture du centre (8 h en général), sans avoir mangé.
N'oubliez pas votre convocation.
À votre arrivée, vous irez au secrétariat. La secrétaire vous conduira aux salles d'examen.

La visite comprend :
— une analyse de sang ;
— une radio des poumons ;
— un examen du cœur ;
— un contrôle de la vue ;
— un examen de la bouche et des dents.

Avant de quitter le centre, vous prendrez un rendez-vous pour être examiné par un médecin.

Quand vous vous présenterez pour cette deuxième visite, la secrétaire vous remettra les résultats de laboratoire et les radios, et vous conduira auprès d'un médecin qui vous examinera en détail.

Si le médecin découvre des signes inquiétants, il demandera des examens complémentaires.

Lorsque tout est terminé, les résultats sont envoyés à votre médecin de famille, dont vous êtes prié d'indiquer l'adresse avant de quitter le centre.

2. La campagne « anti-tabac »

chez le médecin

le médecin Bon, entrez, j'ai bien reçu les résultats de vos examens. Vous vous portez bien dans l'ensemble : les analyses sont bonnes. Le rythme de votre cœur est normal.

Philippe D'ailleurs, je ne suis jamais malade. J'ai quelquefois mal à la tête, un petit rhume de temps en temps. Mais c'est bien tout.

le médecin À propos, vous fumez combien de cigarettes par jour ?

Philippe Un paquet, un paquet et demi.

le médecin C'est trop. Vous connaissez les risques que vous courez : les maladies de cœur, le cancer des poumons, le cancer de la gorge. Vous devriez diminuer votre consommation.

conséquence inattendue de la campagne « anti-tabac »

Depuis quelques années, la consommation de cigarettes n'a que très légèrement diminué en France. Et on voit encore de nombreuses affiches qui vantent les mérites de telle ou telle marque de cigarettes. On respecte cependant de mieux en mieux les interdictions de fumer dans les lieux publics. Et surtout, l'état d'esprit des gens a changé, comme le montre l'anecdote suivante.

Le 27 juillet 1975, M. Ducrot, un passager du train Paris-Lyon, a actionné le signal d'alarme parce qu'un de ses voisins — pourtant assis dans un compartiment non-fumeurs — fumait un cigare.

La S. N. C. F. a infligé une amende de 50 F à M. Ducrot. Mais au bout de 3 ans, le tribunal de Lyon lui a accordé 1 000 F de dommages et intérêts...

L. L.-Charles

L. L.-Andersson

L. L.-Charles

L. L.-Charles

3. Interview du ministre de la Santé

Ph. Aubry Quels sont vos projets pour l'année qui vient ?

le ministre Je voudrais lancer une grande campagne d'information et d'éducation. Les Français doivent tout d'abord comprendre qu'il est préférable d'empêcher la maladie de se déclarer, plutôt que de la guérir : une vie saine vaut souvent mieux que tous les traitements. Nous voulons aussi leur montrer quel est le rôle de la médecine, et quels sont les cas où on ne doit pas tarder à consulter un médecin. Il faut enfin leur apprendre à mieux se servir des médicaments, dont ils font souvent une mauvaise utilisation.

Ph. Aubry Comment comptez-vous intervenir ?

le ministre Nous avons l'intention de contrôler plus sévèrement les produits vendus en pharmacie.

Ph. Aubry Il est aussi question que le gouvernement interdise le remboursement de certains médicaments.

le ministre Il y a effectivement certains médicaments dont on peut contester l'utilité. Nous étudions les possibilités de limiter leur usage. Mais pour les médicaments qui sont vraiment efficaces, il n'y aura rien de changé.

Ph. Aubry On dit que certains médecins donnent trop de médicaments.

le ministre Mais ce sont souvent leurs clients qui en réclament ! Un médecin qui ne donne pas de médicaments paraît suspect. On cesse de lui faire confiance...

Ph. Aubry Avez-vous l'intention de vous intéresser à d'autres domaines ?

le ministre Oui. Nous voulons contrôler de plus près l'alimentation des jeunes enfants : en particulier les produits en conserve. Mais notre effort portera aussi sur l'alimentation des adultes. Les Français mangent trop, c'est bien connu. Dans les pays du Tiers Monde, on meurt encore de faim, alors que 30 % des Françaises et 15 % des Français sont atteints d'obésité. Or l'excès de poids est la cause de nombreuses maladies.

Ph. Aubry Alors, que faire ?

le ministre Manger moins et surtout manger mieux : c'est ce que nous voulons apprendre aux Français...

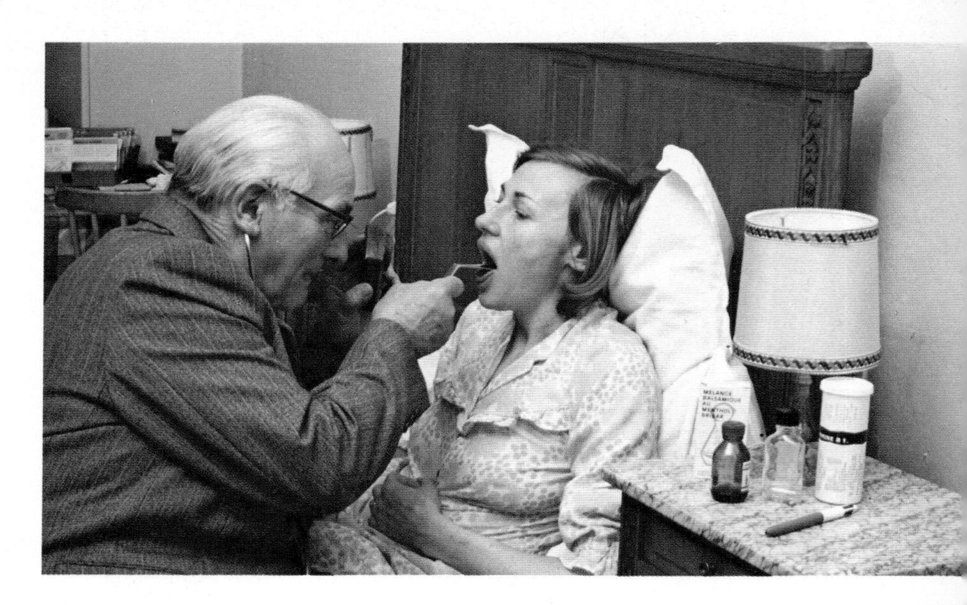

CONSULTATION
RENSEIGNEMENTS
BIC

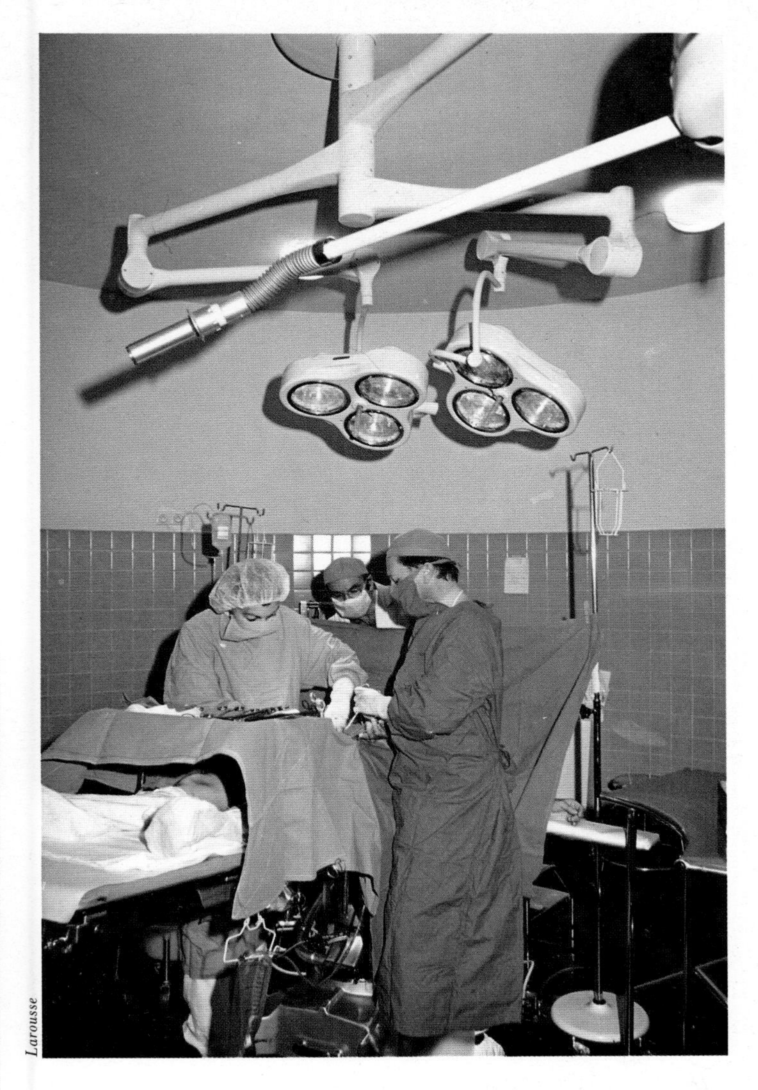

Larousse

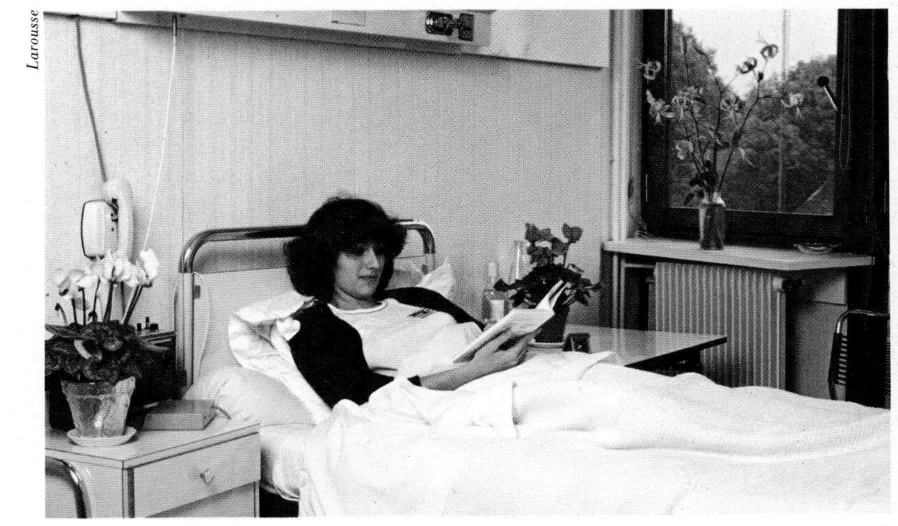

Larousse

4. Les médecins, futurs chômeurs ?

Le nombre des médecins est passé de 52 800 en 1964, à 77 500 en 1974, et cette année-là, on a formé 11 500 médecins, contre 4 000 dix ans plus tôt.

Cette croissance massive pose aujourd'hui des problèmes. Beaucoup de jeunes médecins ont des difficultés quand ils s'installent : il leur faut maintenant deux ans pour se faire une clientèle.

Certains considèrent même le salariat comme une bonne solution et préfèrent un salaire sûr à des honoraires élevés mais incertains.

Récemment, à Marseille, pour un poste dans un service de protection maternelle, plus de soixante-dix candidats se sont présentés. Autre signe : quelques cabinets, dans le sud de la France, ont dû fermer.

Les étudiants en médecine sont-ils de futurs chômeurs ? On l'ignore pour le moment. Cependant, les pouvoirs publics ont l'intention de mener une politique de sélection plus sévère dans les années à venir.

Un projet de loi prévoit en effet de réduire le nombre des futurs médecins, qui ne devrait pas dépasser 6 000 à la rentrée 1981.

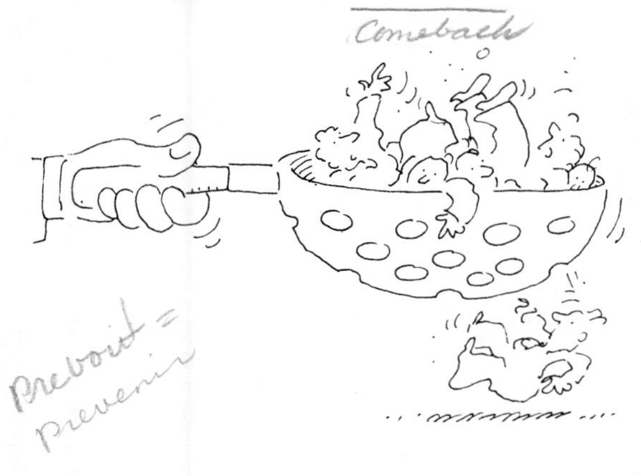

D'autre part, le gouvernement suggère de donner des compétences plus pratiques aux étudiants en médecine qui, à partir de maintenant, feront des stages chez leurs confrères déjà installés.

Enfin, il paraît souhaitable de mieux calculer la répartition entre généralistes et spécialistes : les gens vont trop souvent consulter un spécialiste, alors que le médecin généraliste pourrait très bien répondre à leur problème. Bien sûr, il ne faut pas alourdir les tâches du généraliste, qui deviendrait « l'homme à tout faire ». Mais il ne faut pas non plus le supprimer, car son rôle de médecin de famille est important.

3. LA FEMME

1. Portraits

En tenant compte des opinions les plus fréquemment exprimées dans les conversations, dans les films ou dans les romans, nous avons essayé de dégager le portrait de « l'homme type » et de la « femme type », tels qu'on les imagine généralement.

l'homme...

Il est calme.

Il a le sens de l'organisation ; il aime commander ; il a le goût du risque.

Il est parfois cynique, souvent égoïste...

...mais il est généralement franc et sincère.

Sur le plan intellectuel, il aime le raisonnement et il a beaucoup d'aptitudes pour les sciences.

...la femme

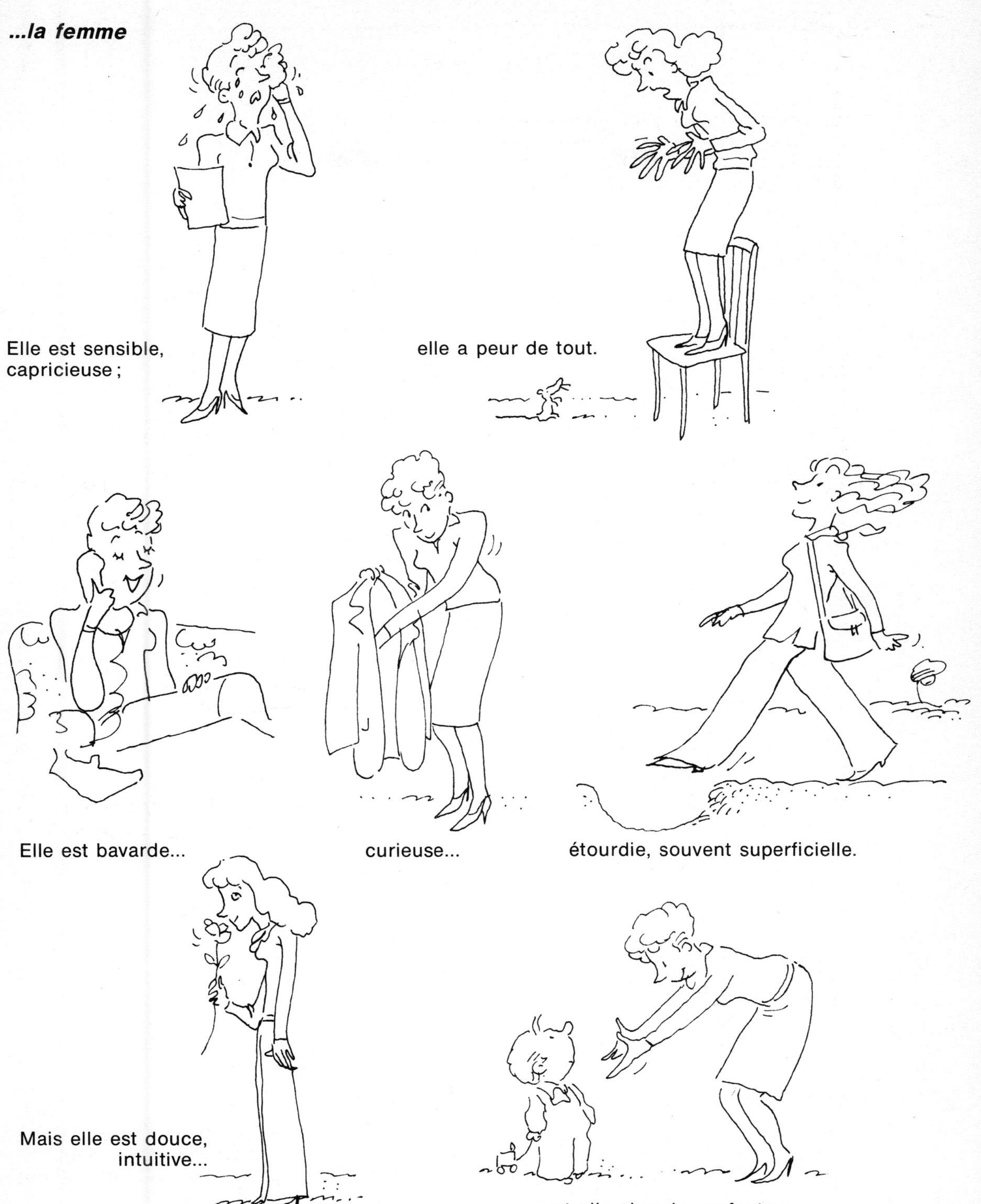

Elle est sensible,
capricieuse ;

elle a peur de tout.

Elle est bavarde...

curieuse...

étourdie, souvent superficielle.

Mais elle est douce,
intuitive...

...et elle aime les enfants.

2. Les femmes cadres

Les femmes sont entrées dans le monde du travail : le nombre des femmes actives était de 7 123 500 en 1968. Aujourd'hui il a augmenté d'un million et demi, soit de plus de 20 %.

Mais il ne faut pas se dissimuler qu'il y a très peu de femmes aux postes de responsabilité. Bien sûr, des femmes cadres, on en trouve, mais dans quelle proportion ? À l'E. D. F.[1], aujourd'hui encore, elles n'occupent que 200 postes d'ingénieurs sur un total de 5 000, soit 4 %.

Un indice révélateur : le nombre des femmes au gouvernement. Sur 37 ministres, il y a 4 femmes, et encore, à des postes qui nécessitent, pense-t-on, des qualités « féminines » : Santé, Condition féminine (justement)...

(1) Électricité de France.

Et pourtant, les hommes reconnaissent parfois qu'une femme a des qualités équivalentes aux leurs. L'efficacité des rares femmes patrons est un argument en leur faveur.

Alors? Alors, malgré tout, on reproche aux femmes de ne pas être assez disponibles, d'être trop souvent absentes (en particulier à cause des maternités), et d'hésiter à se déplacer...

Mais ceci n'est vrai que pendant quelques années, le temps d'élever les enfants. À 35 ans, 40 ans, une femme est beaucoup plus libre.

Enfin, même à travail égal, il n'y a pas toujours salaire égal : il est incontestable qu'au même niveau, avec les mêmes diplômes, une femme gagnera moins qu'un homme : jusqu'à 30 % de moins...

Alors, peut-on dire que les femmes cadres existent vraiment?

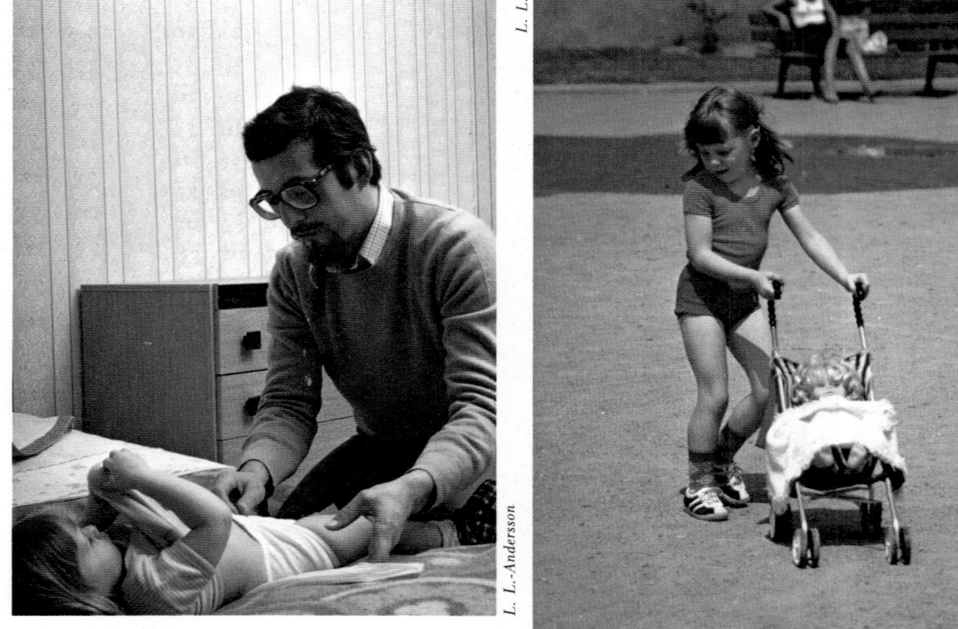

L. L.-Andersson

L. L.

L. L.-Andersson

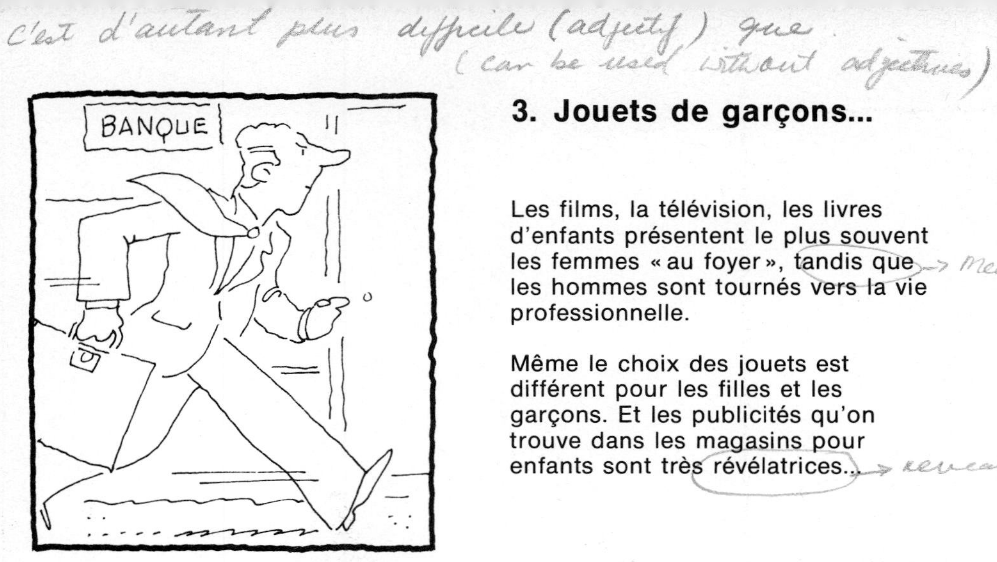

3. Jouets de garçons...

Les films, la télévision, les livres d'enfants présentent le plus souvent les femmes « au foyer », tandis que les hommes sont tournés vers la vie professionnelle.

Même le choix des jouets est différent pour les filles et les garçons. Et les publicités qu'on trouve dans les magasins pour enfants sont très révélatrices...

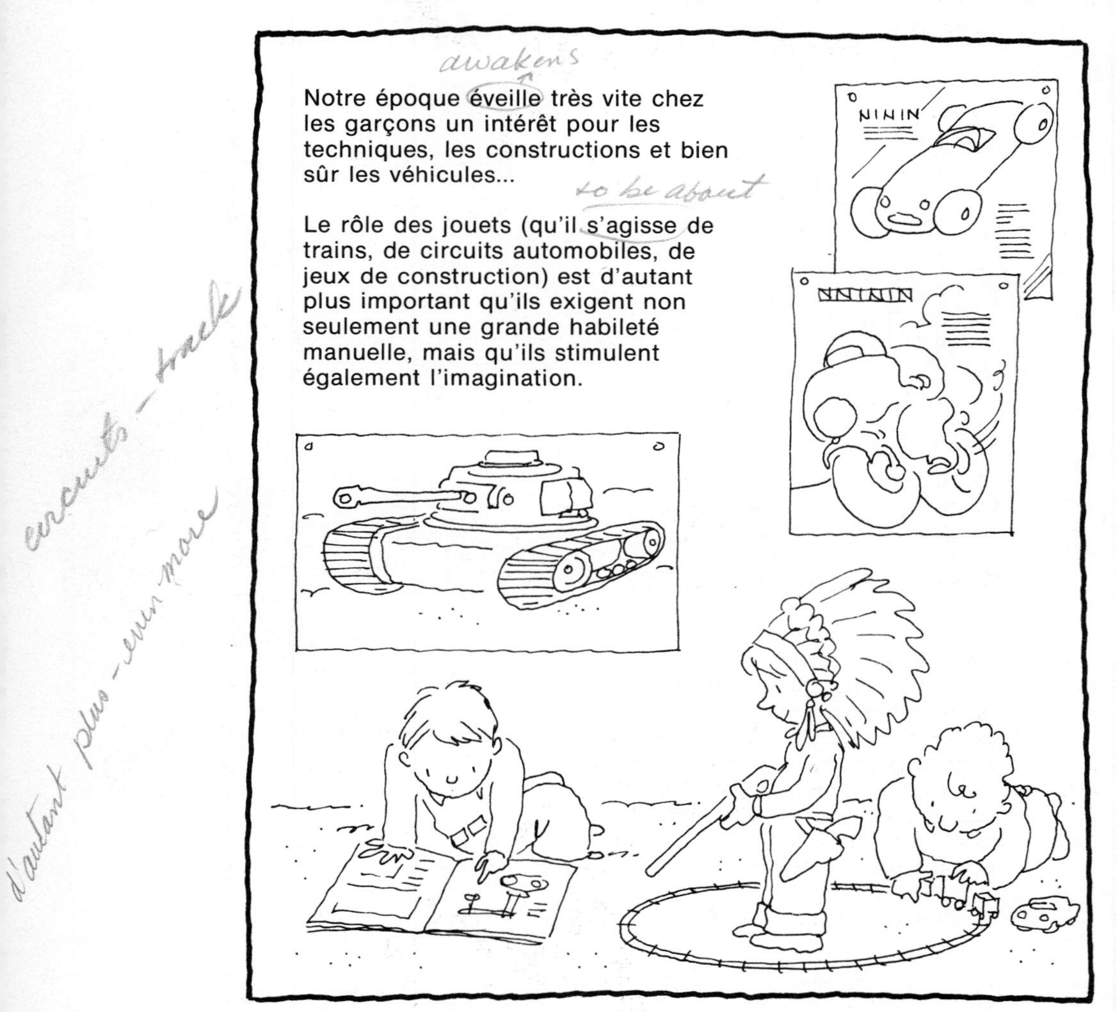

Notre époque éveille très vite chez les garçons un intérêt pour les techniques, les constructions et bien sûr les véhicules...

Le rôle des jouets (qu'il s'agisse de trains, de circuits automobiles, de jeux de construction) est d'autant plus important qu'ils exigent non seulement une grande habileté manuelle, mais qu'ils stimulent également l'imagination.

... jouets de filles

La poupée c'est la petite amie fidèle, toujours présente, à laquelle on raconte des histoires...

Même s'il y en a plusieurs, elles ont toutes leur charme.

On peut leur faire la classe, mais surtout on peut faire comme maman, avec des choses bien à soi, qui ressemblent aux vraies : on peut soigner un bébé, comme une petite sœur ou un petit frère, nettoyer la maison, aller au marché, mettre la table, faire la cuisine, et même faire des robes.

Quelles occupations variées !

L. L.

Thomson-C. S. F.

L. L.-Charles

Maïofiss-Gamma

4. Les Françaises sont-elles « féministes » ?

1. À quel moment de sa vie diriez-vous d'une femme qu'elle a vraiment un foyer ?

— À partir du moment où elle se marie. 45 %

— Après la naissance du premier enfant. 31 %

— Lorsqu'elle quitte ses parents pour vivre seule. 13 %

— *Ne savent pas.* *11 %*

2. Voici quelques opinions à propos des femmes qui restent au foyer. Avec laquelle de ces opinions êtes-vous le plus d'accord ?

— Elle a tort de rester chez elle : elle fait un travail ennuyeux et sans intérêt. 6 %

— C'est anormal : elle fait un véritable travail sans être payée. 13 %

— Il est difficile pour une femme de trouver un travail intéressant : elle a donc bien raison de rester chez elle. 17 %

— C'est bien : en restant au foyer, elle montre qu'elle est très dévouée à sa famille. 50 %

— *Ne savent pas.* *14 %*

3. Beaucoup de maris considèrent que leur femme est à leur service. Quelle est votre réaction devant cette attitude ?

— Je trouve ça normal, parce que la femme doit faciliter la vie de son mari. 35 %

— Si cela doit se passer de cette manière tous les jours, je suis contre, mais de temps en temps c'est normal. 25 %

— Ça ne me plaît pas du tout, mais si le mari et la femme sont d'accord, il n'y a rien à dire. 10 %

— Ça me choque vraiment. 27 %

— *Ne savent pas.* *3 %*

4. On parle souvent de « la femme au foyer », rarement de « l'homme au foyer ». Trouveriez-vous normal qu'un homme reste chez lui pendant que sa femme travaille ?

— Je trouve ça tout à fait normal, du moment que la femme assure un revenu comparable à celui de l'homme. 9 %

— Je l'admets, mais seulement s'il s'agit d'une solution provisoire. 46 %

— Chacun est libre d'organiser sa vie. 19 %

— J'y suis tout à fait opposée, je trouve ça ridicule. 24 %

— *Ne savent pas.* *2 %*

D'après un sondage SOFRES-Société Singer.

4. URBANISME

1. Les tours

Paris : la Défense; Lyon : la Part-Dieu; c'est l'univers des tours.

Des hommes et des femmes travaillent aujourd'hui par milliers dans ces nouveaux quartiers, faits de béton, d'acier, de lumières vives, de boutiques, d'ascenseurs, de fenêtres qui ne s'ouvrent pas... Des milliers de personnes qui souvent se ressemblent : cadres moyens, P.-D. G.[1], secrétaires...

Marie-France est assistante dans une agence de publicité. Elle n'apprécie pas beaucoup la Part-Dieu, son lieu de travail.

Et pourtant, il y a 4 hectares de commerces, où on peut tout acheter, du shampooing au vêtement de luxe. Des allées, des jets d'eau... « C'est une réussite, dit-elle. Mais je n'y fais pas mes courses. Tout y est plus cher qu'ailleurs. Et puis, le béton, c'est triste... »

À la Défense, personne ne se connaît. Bien sûr, les bureaux sont spacieux et rationnels. Mais la plupart de ceux qui y travaillent ont du mal à s'habituer à l'air climatisé, aux fenêtres toujours fermées, et surtout à l'absence de verdure... Car on a planté des arbres, mais les espaces verts disparaissent peu à peu devant les nouvelles constructions.

---

(1) Président-Directeur général.

« Il y a trop de monde, trop de bruit, dit Claude, 24 ans. Je ne peux plus respirer. Pour 2 500 F par mois, je ne veux pas tomber malade en vendant des chaussures. Je vais changer d'emploi... »

Et ceux qui y vivent ? Leurs avis sont partagés.

Michèle, 32 ans, est ravie : « Je fais mes courses aussitôt que les magasins ouvrent. Je n'ai aucune rue à traverser. Bientôt mes enfants pourront se déplacer seuls. Mon mari peut aller à son travail à pied. L'école de mon fils aîné est tout près, et le plus petit peut jouer dans les jardins devant l'immeuble... »

Monique, elle, ne retrouve son appartement que le soir. Ses fenêtres ouvrent sur une tour en construction... et, dans l'entrée de l'immeuble, il y a une affiche qui montre bien le mécontentement des locataires devant les impôts locaux « plus chers qu'aux Champs-Élysées ! »

À la Défense, c'est de l'absence de commerces qu'on se plaint parfois. « J'habite à la Défense depuis 6 ans, et je n'ai du pain à proximité que depuis 2 ans. Pour le reste, je dois aller plus loin... »

Fabriquer un quartier, ce n'est pas toujours facile !

2. Interview d'un architecte

le journaliste	L'architecture, qu'est-ce que c'est pour vous ?
l'architecte	Pour moi, l'architecture, c'est la ville dans son ensemble. Pas ce qu'il y a d'exceptionnel (les bâtiments publics, la Maison de la Radio, par exemple)...
J.	Et Paris, qu'est-ce que vous en pensez ?

A. L'aménagement de la région parisienne est complètement fou. On ne pense pas à la population qui aura doublé à la fin du siècle. On se prépare mal à l'avenir. On bouche des trous, on construit dans une anarchie totale. Il n'y a pas de plans. Les grands ensembles sont bâtis n'importe où...

J. Les architectes, selon vous, sont-ils trop esclaves des promoteurs ?

A. Là-dessus, aucun doute : l'architecte et le promoteur n'ont rien de commun ; les promoteurs ne connaissent pas grand-chose au métier ; pour être promoteur, il suffit d'avoir un compte en banque. Et les architectes dépendent du promoteur. Ils ne sont jamais libres de faire ce qu'ils veulent. Je rêve toujours d'un promoteur qui dirait : « Je voudrais des choses humaines... » Or, un architecte n'entend jamais cela.

J. Il y a pourtant des architectes qui se font un peu plaisir...

A. Oui, c'est vrai. L'architecte veut être à l'avant-garde. Il aime faire parler de lui et il craint de ne pas être assez à la mode. Sa grande ambition, c'est qu'on fasse une publication de ses plans dans une revue. Il oublie qu'il construit pour des hommes et il ne tient pas toujours compte de leurs goûts. Il y a des exemples frappants, en France et ailleurs...

J. Vous détestez ce qu'on fait actuellement ?

A. Je suis effrayé quand je vois des maisons en rond, des fenêtres étranges, des couleurs affreuses. Les architectes et les promoteurs qui ont fait cela n'accepteraient jamais de vivre là...

L. L.

Larousse

Une rue piétonne à Strasbourg.

Un marché à Nice.

Belzeaux - Rapho

3. Résidences secondaires : les citadins à la campagne

Les résidences secondaires sont à la mode. Depuis quelques années, elles se sont multipliées dans la région parisienne, sur le littoral, à la montagne, à la campagne.

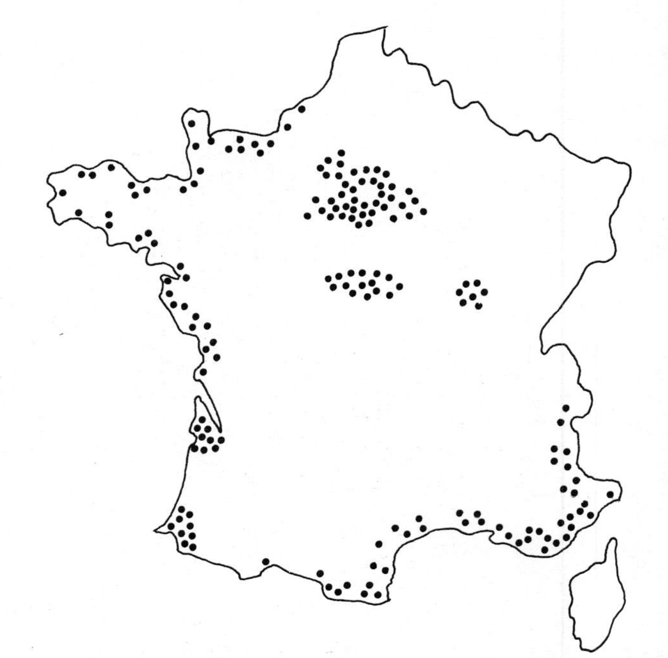

Récemment, le rythme d'acquisition s'est encore amplifié. Les régions les plus recherchées se situent autour des grandes agglomérations : à deux heures de Paris, aujourd'hui, tout est vendu.

La France des classes moyennes et aisées se passionne pour les maisons anciennes. Il y a quelques années, ces maisons se vendaient à des prix raisonnables. Aujourd'hui, tout a doublé.

Des hameaux entiers, des villages en ruine revivent grâce aux propriétaires de résidences secondaires. Cette rénovation, les gens du pays, obligés de quitter leur région pour chercher du travail, n'auraient pas pu la faire.

On voit aujourd'hui se multiplier les ateliers d'artisanat, les petites entreprises de bâtiment. On rouvre des épiceries et des boulangeries.

D'autre part, les services d'alimentation en eau qui auraient été supprimés ont été maintenus.

Enfin, les propriétaires des résidences secondaires paient des impôts locaux qui constituent une source de revenus appréciable pour les campagnes.

Mais, sur le plan humain, les résidences secondaires sont-elles toujours bien accueillies par les populations locales ?

Oui, quand les citadins qui les achètent sont originaires de la campagne. Dans les autres cas, ils oublient parfois que c'est à eux de s'adapter au milieu rural, et de l'accepter. Ainsi, récemment, un industriel parisien, qui avait acheté une maison en Normandie, a porté plainte contre un paysan qui élevait des porcs : les animaux faisaient du bruit et sentaient mauvais !

La banlieue parisienne :
Créteil.

L. L.

Le 14 juillet
en Normandie

L. L.

L'hôtel
Sheraton
à Paris.

L. L. - Andersson

Les toits de Paris.

L. L. - Barzi

L. L.

L. L.

4. Les rues pour piétons

Les piétons vont-ils enfin retrouver leur ville ? En tout cas, différentes municipalités ont déjà pris des initiatives heureuses dans ce domaine : Rodez, Digne, Montpellier, Lyon et plusieurs autres villes réservent en effet une partie de leurs chaussées aux piétons, qui pourront désormais flâner sans risquer d'être écrasés par un conducteur trop pressé...

Certains secteurs de la capitale bénéficiaient déjà de ce système, auquel le Quartier latin doit son pittoresque depuis plusieurs années...

Cette saison, la municipalité parisienne a particulièrement pensé aux touristes : en effet, du 8 au 21 août, dans une dizaine de quartiers, étrangers et Parisiens pourront se promener à pied sans être obligés de se préoccuper des voitures.

L'an dernier déjà, on avait ainsi réservé une voie aux piétons, pour leur permettre de se rendre de l'Arc de triomphe jusqu'à la cour du Louvre... Malheureusement ce projet, réalisé trop précipitamment, avait causé de graves problèmes de circulation, et beaucoup d'automobilistes s'étaient déclarés mécontents de cette initiative...

L'opération « Paris-piétons » se passera probablement mieux cette année. Elle a été prévue depuis longtemps, de nombreuses personnalités se sont occupées du projet, en particulier le directeur de la circulation à la préfecture et le directeur de la chambre de commerce.

On a choisi dix zones, en pensant aux intérêts des uns et des autres :

- ceux qui veulent d'abord se cultiver et découvrir les monuments, les musées, pourront le faire en toute sécurité de Saint-Séverin à Beaubourg, et de Notre-Dame à l'Hôtel-de-Ville ;
- ceux qui veulent simplement se promener pourront marcher sur le Champ-de-Mars et dans le quartier des Tuileries ;
- quant aux autres quartiers, ils seront à la disposition de ceux qui désirent regarder les vitrines et faire quelques courses...

Ce choix a d'autre part été guidé par des considérations pratiques : on a cherché en particulier à ne pas trop ralentir la circulation automobile.

L'expérience devrait également servir à l'aménagement définitif des voies pour piétons dans certains quartiers de Paris, en particulier dans le secteur des Halles.

5. ADOLESCENTS

1. Sondage : les adolescents et leurs parents

1. Si l'un de vos enfants (fils ou fille) vous disait un jour : « Je vais à une manifestation », laquelle des phrases suivantes serait la plus proche de votre réponse ?

— *Vas-y, si ça correspond à tes idées.* 48 %
— *Non, certainement pas.* 25 %
— *Tu as autre chose à faire.* 20 %
— *Vas-y si tu veux, mais ne te fais pas « prendre ».* 4 %
— Ne savent pas. 3 %

2. Si l'un de vos fils vous disait un jour : « Je voudrais une moto », laquelle des réponses suivantes serait la vôtre ?

— *Il n'en est pas question.* 37 %
— *Pas avant que tu aies 18 ans.* 30 %
— *D'accord, si tu te la paies.* 20 %
— *On ne peut pas te l'offrir en ce moment.* 9 %
— Ne savent pas. 4 %

3. Si l'un de vos enfants vous disait un jour : « Cet été, je pars en vacances en Inde », laquelle de ces quatre phrases serait la plus proche de votre réponse ?

— *D'accord, si tu pars en groupe.* 46 %
— *Non, il n'en est pas question.* 31 %
— *Pas avant que tu aies 18 ans.* 11 %
— *D'accord si tu te paies le voyage.* 7 %
— Ne savent pas. 5 %

67 % des parents bourgeois laisseront leurs enfants « descendre dans la rue », s'ils ne le font pas uniquement par curiosité. Les parents des classes ouvrières sont moins tolérants : 50 % refusent cette permission à leur fils ou à leur fille.

Quant à la moto, l'agriculteur n'est pas « contre », mais à partir de 18 ans seulement. L'artisan ou le petit commerçant n'est « pour » que si son fils se l'offre avec ses économies. C'est l'ouvrier qui est le plus généreux. C'est l'industriel qui l'est le moins.

Pour les voyages, les agriculteurs y sont favorables, si leur enfant part en groupe. Sur ce point encore, ce sont les industriels et les cadres supérieurs qui sont les plus réticents.

2. Le sport au lycée

Cinquante ans après la plupart des grands pays industrialisés, la France va-t-elle enfin découvrir que l'épanouissement de l'esprit passe aussi par celui du corps ?

Le ministre de l'Éducation vient en tout cas de constater que l'an dernier, plus de 150 000 collégiens et lycéens n'avaient pas eu une seule heure d'éducation physique ! Et hier, au Conseil des ministres, il a été longuement question des insuffisances du sport à l'école.

Plusieurs établissements ont déjà essayé de remédier d'eux-mêmes à cette situation. Ainsi, plusieurs écoles de Vendôme se sont organisées pour que tous les élèves — de la 3e à la terminale — puissent pratiquer au moins deux heures de sport dans la semaine, en plus des heures obligatoires. Les élèves ont le choix entre 22 options : danse, tennis, canoë...

Cette formule est très appréciée : les élèves sont ravis de sortir de

leur établissement et de rencontrer d'autres jeunes.

« C'est formidable, dit un élève de première, on peut aborder chaque année des sports nouveaux : j'ai fait du volley, de la natation et du canoë, et je compte bien changer encore l'an prochain. »

Les choses, il est vrai, ne se passent pas toujours aussi bien :
« Je voulais organiser un club de canoë le mercredi, explique un professeur de Vannes. La Direction de la Jeunesse et des Sports ne m'a accordé aucune subvention, parce qu'on ne faisait pas de compétition... »

Alors ce professeur a organisé un club de vélo. Une difficulté : il y avait trop de participants ! « Il suffit d'organiser quelque chose pour que les jeunes viennent. »

Tous les professeurs ne sont pourtant pas de cet avis. « Si on veut que les jeunes pratiquent un sport, il faut le leur apprendre dès la maternelle, au lieu d'organiser des rondes avec un mouchoir », dit l'un. Et un autre : « Si tous les élèves faisaient un minimum de cinq heures d'éducation physique par semaine, les jeunes se passionneraient bien plus pour le sport... »

L. L.-Andersson

Enseignement technique.

L. L.-Andersson

L. L.-Andersson

L. L.

Devant le palais
de la Découverte.

3. Les adolescents et leurs vêtements

Un jean au début de l'hiver, un autre au début de l'été, un pull marin tous les ans, un blouson pour la neige et la pluie, voilà la garde-robe de Marc, un élève de Montpellier, et de la plupart des adolescents.

« C'est pratique, et pas cher. Dans les grandes circonstances je mets mon plus beau jean, ou un pantalon de velours. »

Chez les jeunes, les vêtements deviennent de plus en plus « standard » : mêmes pantalons, mêmes blousons, que ce soit chez les garçons ou chez les filles.

Tout ce qui est « marrant » est apprécié. Mais le luxe, on n'aime pas ça.

« Pour me faire plaisir, ma mère m'a acheté une robe de soie, dit Évelyne. Si je l'avais mise pour aller au lycée, toute la classe aurait ri... »

Et c'est aussi la mode de l'occasion : on s'habille aux « Puces » ou encore aux Galeries Lafayette qui vendaient déjà des tonnes de jeans et de tee-shirts et qui offrent maintenant des chemises, gilets et pantalons d'occasion importés des États-Unis.

Les vêtements d'occasion permettent en effet d'être original sans se distinguer du groupe.

« L'important, dit une lycéenne, c'est d'être à la mode sans être comme les autres. »

Ces caractéristiques s'effacent à partir de 25 ans, comme si le désir de plaire n'était plus prioritaire : à cet âge, la plupart des individus trouvent enfin leur équilibre et sont moins sensibles à l'image que les autres se font d'eux.

Boissonnet

Pavlovsky-Rapho

L. L.-Charles

L. L.

L. L.

4. L'argent de poche

Tous les enfants rêvent d'avoir de l'argent. Même les plus petits avouent parfois : « Si j'avais de l'argent, je pourrais m'acheter des petites choses... Je n'ai pas besoin de beaucoup. Juste pour acheter des bonbons, par exemple... »

Ce sont surtout les grands qui disposent régulièrement d'une somme fixe. À partir de 14 ans, ils sont toujours logés, nourris, et pour le reste, on leur donne une somme mensuelle. C'est à eux de faire leur choix : disques, livres, sorties ou vêtements. Et bien sûr, plus les revenus des parents sont élevés, plus cette somme est importante.

Mais beaucoup d'adolescents préfèrent gagner ce dont ils ont besoin.

Certains trouveraient tout à fait normal que leurs parents leur donnent de l'argent en fonction de leurs résultats scolaires.

D'autres se font payer pour les « corvées » ménagères. Et pourtant les trois quarts des parents sont hostiles à cette attitude. Mais c'est quelquefois le seul moyen de se faire aider... Claude, 14 ans, déclare : « Ma mère dit toujours que je dois mettre la table gratuitement. Mais elle me donne quand même 2 francs. Si elle ne me donnait rien, ça m'embêterait de l'aider. »

D'autres, plus courageux, lavent des voitures, fabriquent des colliers ou des gâteaux qu'ils vendent...

Certains consacrent même une partie de leurs vacances à travailler. Mais les places ne sont pas toujours faciles à trouver.

si vous voulez travailler pendant vos vacances, voici quelques suggestions

où travailler ?

- Vous pouvez vous faire engager dans l'Administration. Attention : le recrutement a lieu plusieurs mois à l'avance.

- Dans l'agriculture, le travail est fatigant et pas toujours bien payé. Mais vous serez au grand air...

- Les commerces, en particulier les grandes surfaces, vous offriront également beaucoup de possibilités.

- Enfin, vous pouvez encore devenir pompiste ou vous engager dans une agence de tourisme : vous aurez alors l'avantage de voyager sans frais.

à quelles conditions ?

Pour travailler, il faut avoir plus de 16 ans. Toutefois un décret du 28 juin 1973 autorise le travail pour les adolescents d'au moins 14 ans, à condition que la durée de l'emploi ne dépasse pas la moitié du temps des congés...

6. L'ÉNERGIE

1. La grande panne

Le 29 décembre 1978, la France a été privée d'électricité pendant sept heures : à Paris, à Lyon, à Marseille, à Rennes, à Bordeaux, les ascenseurs, les trains, les métros se sont brusquement arrêtés. Même les hôpitaux ont eu des problèmes...

Les centraux téléphoniques ont été bloqués par les appels des gens affolés. Et les pompiers ont connu une journée éprouvante : il a fallu sortir plusieurs centaines de personnes des ascenseurs où elles se trouvaient. D'autre part, 8 h 30 (heure de la panne) c'est l'heure de « pointe » pour le métro parisien ; à 8 h 45, la direction demande à ses employés d'évacuer les passagers arrêtés entre deux stations. Mais dans le noir, plusieurs voyageurs se salissent, tombent, ou se blessent...

Que s'est-il passé au juste ?

Avec le froid, la consommation d'électricité a brusquement augmenté dans le pays. Et toutes les lignes étaient saturées, quand, à 8 h 27 très exactement, la ligne Béraumont-Cerney a sauté. Elle véhiculait alors plus d'un million de kilowatts. C'est la catastrophe...

Les lignes ont été coupées les unes après les autres. Il a fallu arrêter les centrales et, en moins d'un quart d'heure, les trois quarts du pays ont été privés d'électricité.

Cette panne va coûter plus cher qu'une journée de grève générale : 3 à 3,5 milliards de francs de perte de production.

Différentes associations reprochent déjà à l'E. D. F. d'avoir poussé les Français à s'équiper à l'électricité, alors que son réseau était insuffisant.

Les responsables vivent dans la crainte d'une nouvelle défaillance. Le directeur général d'E. D. F. a d'ailleurs lancé un appel aux Français pour qu'ils limitent leur consommation d'énergie...

2. Économies d'énergie

Notre consommation d'énergie a tendance à augmenter. C'est normal : notre production s'accroît et notre besoin de confort aussi. Mais l'énergie coûte cher. C'est pourquoi l'Agence pour les économies d'énergie vient de publier un dossier qui vous aidera à mieux l'utiliser.

Ces pages qui vous sont proposées vont du simple conseil à une réglementation rigoureuse, destinée notamment aux constructeurs d'automobiles, aux fabricants d'appareils électro-ménagers (réfrigérateur, machine à laver, lave-vaisselle...).

Sans sacrifier votre confort, et en suivant les conseils réunis pour vous dans ce dossier, vous réaliserez facilement des économies d'énergie... et d'argent. Sur l'éclairage et l'eau chaude, par exemple. Deux services devenus si naturels qu'on oublie souvent qu'ils ne sont pas gratuits.

Adaptez votre éclairage à l'activité du moment : le repas familial ne demande pas la même lumière que la lecture d'un livre. Il est tout aussi déconseillé de s'éclairer trop que de ne pas s'éclairer assez.

Choisissez bien votre chauffe-eau : la puissance de l'appareil doit correspondre à vos besoins. Rappelez-vous aussi que des tuyaux trop longs entre le chauffe-eau et les robinets vous font consommer davantage d'énergie...

Même si vous ne pouvez plus toucher à votre installation, vous pouvez encore réaliser des économies, en pensant à éteindre la veilleuse quand vous n'avez pas besoin d'eau chaude...

Pour bénéficier de tous les autres conseils, demandez-nous notre dossier.

Veuillez m'envoyer le dossier « Économies d'énergie » afin que je puisse me renseigner sur les différents moyens d'économiser l'énergie.

Nom ....
Prénom ....
Adresse ....

Larousse-Geay

Larousse-Beaujard

Barrage de Castillon, dans les Basses-Alpes.

Four solaire d'Odeillo, dans les Pyrénées-Orientales.

Centrale nucléaire du Bugey, au bord du Rhône.

Brigaud-Sodel

Stockage des gaz à la raffinerie de Shell-Berre.

Larousse

3. L'énergie solaire

L'énergie solaire, on commence à y croire ! Aujourd'hui, en France, on utilise déjà le soleil pour :

— le chauffage des maisons ;

— la production d'électricité, soit par centrales thermodynamiques, soit par des piles spéciales, appelées « photopiles » ;

— la production de calories à partir de la culture d'arbres et de plantes.

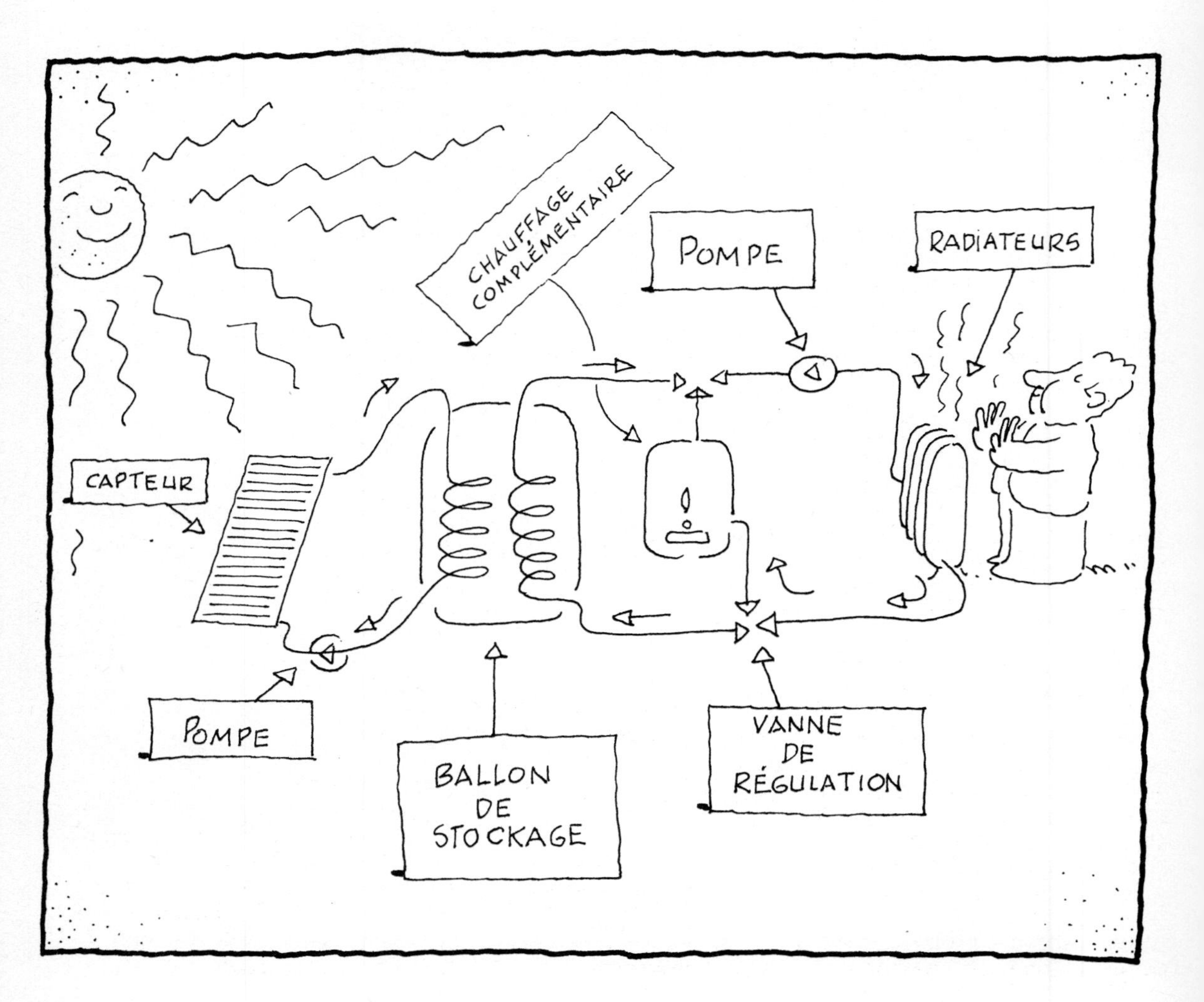

Pour utiliser la chaleur du soleil dans les habitations (chauffage central ou chauffage de l'eau courante), on se sert de surfaces spéciales qui absorbent la plus grande partie des rayons solaires.

L'installation fonctionne comme une réserve de calories. Pour récupérer ces calories et les transporter, on utilise soit un liquide (eau, huile) qui circule derrière la surface absorbante (voir le dessin),
soit l'air qui circule entre des vitres et cette surface.

À l'heure actuelle, un chauffe-eau solaire coûte entre 4 000 et 10 000 francs, installation non comprise (alors qu'un chauffe-eau électrique ne coûte pas plus de 2 500 F). Plusieurs milliers de ces chauffe-eau fonctionnent déjà, malgré leur prix élevé.

Par contre, le chauffage solaire, lui, se développe très lentement. Il n'existe en France que quelques dizaines de maisons solaires : le système n'est pas toujours efficace. Toutes ont besoin d'une source d'énergie supplémentaire (gaz ou électricité). D'autre part, l'investissement est énorme et fait reculer beaucoup de gens.

Et pourtant, ces problèmes n'ont pas découragé les chercheurs :

- des équipes du C. E. A.[1] et du C. N. R. S.[2] ont pour objectif de produire du pétrole en utilisant l'action du soleil sur certaines plantes, les algues par exemple ;

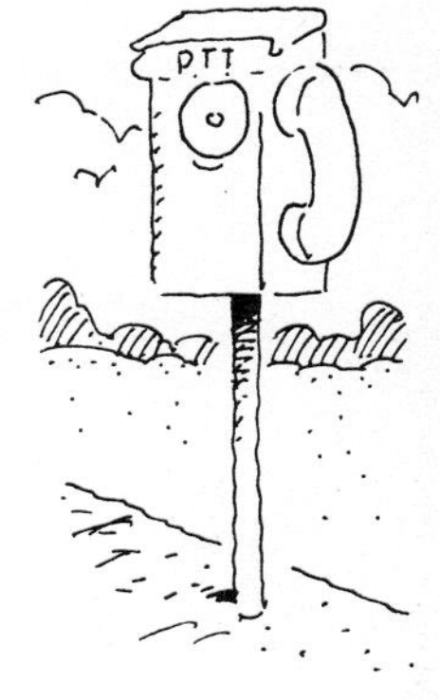

- les P. T. T.[3] se proposent d'installer au bord des autoroutes des bornes d'appel téléphonique munies de photopiles ;

- un ingénieur parisien étudie un projet de voiture électrique dont le toit capterait les rayons solaires. Pas besoin de carburant !

- et enfin, un groupe de jeunes ingénieurs marseillais vient d'inventer le briquet solaire...

Alors tous les espoirs sont permis !

(1) *Commissariat à l'énergie atomique.*
(2) *Centre national de la recherche scientifique.*
(3) *Postes, Télécommunications et Télédiffusion.*

L. L.-Andersson

L. L.-Andersson

L. L.-Andersson

L. L. - Charles

L. L.-Andersson

E. D. F. :
poste de contrôle et de surveillance.

4. Les manifestations anti-nucléaires

« Huit mille Bretons ont défilé samedi 18 novembre dans la ville de Quimper pour exprimer leur opposition à la construction d'une centrale atomique à Plogoff (Finistère). Le maire marchait en tête de la manifestation. Tous les commerçants avaient baissé leurs rideaux. Il n'y a pas eu d'incident. » (*Le Monde*, 21 novembre 1978)

Sur la côte même, des centaines de bateaux, voiliers et barques de pêche se sont rassemblés pour exprimer la désapprobation des marins et des pêcheurs : « On ne se laissera pas faire. Qu'ils aillent mettre leur centrale ailleurs. Ici, on n'en veut pas... »

Les paysans propriétaires des terrains que l'administration veut acheter ont eux aussi réagi. Beaucoup s'indignent : « Nos parents ont mis trente ans pour acheter quelques hectares. Ce n'est pas pour qu'on nous les reprenne maintenant. Si on nous impose cette centrale atomique, il y aura des réactions brutales. »

Pendant ce temps, les ingénieurs de l'E. D. F. consultent leurs dossiers. Ils constatent que la consommation d'électricité augmente en Bretagne dans une proportion plus forte que la moyenne nationale : alors que traditionnellement la consommation double tous les dix ans sur le plan national, elle met seulement sept ans dans l'Ouest. (La modernisation de l'agriculture et le développement des industries alimentaires expliquent cette augmentation.)

Or la Bretagne fait venir presque toute son énergie de l'extérieur. Elle ne dispose que de rares centrales, comme la centrale nucléaire de Brennilis, ou l'usine marémotrice de la Rance.

D'après l'E. D. F., refuser le nucléaire, c'est prendre un retard définitif... La seule solution, c'est l'atome.

sondage dans la vallée du Rhône

Le nucléaire peut-il avoir des conséquences sur les éléments suivants :

	Hommes	*Femmes*
l'air	66 %	74 %
l'eau	57 %	61 %
le Rhône	84 %	78 %
les cultures	69 %	76 %
les animaux	66 %	68 %
le climat	67 %	77 %
le paysage	85 %	82 %
la santé	70 %	81 %

Politique Hebdo, *14 mars 1977.*

7. LA PRESSE

1. « Les Nouvelles »

Chaque semaine, un regard objectif qui vous permet de mieux comprendre l'actualité.

politique intérieure

La vie politique de la nation semaine après semaine. Grâce aux journalistes des « Nouvelles », vous disposerez d'une analyse sans complaisance : la présentation détaillée des rapports à l'intérieur des partis et leur « album de famille » ; le point des conflits sociaux, la position des syndicats.

étranger

Notre journal peut analyser pour vous les déclarations des chefs de gouvernement, vous documenter sur les tout derniers événements, vous aider à voir clair.

ville

Les loyers trop chers, l'aménagement du temps...
À l'écoute des changements, les journalistes des « Nouvelles » abordent tous les sujets, sans attendre qu'ils soient à la mode.

société

Le prix d'une journée d'hôpital, les scandales de la sécurité sociale... Qui est responsable ?
Les journalistes mènent l'enquête et vont au fond des choses.

le guide des « Nouvelles »

Il vous tiendra au courant des endroits où on peut se détendre, des restaurants sympathiques ; il vous donnera des idées originales pour vos cadeaux. Bref, neuf pages qui vous aideront à rendre votre vie agréable.

cinéma

Une courte critique vous dit ce qu'il faut savoir des derniers films.
D'un coup d'œil, vous savez où aller si vous avez envie de rire ou de réfléchir.

expositions

Peinture, photo, artisanat,... avec « les Nouvelles » vous saurez tout.

théâtre

En quelques lignes, vous connaîtrez l'auteur, les comédiens, la mise en scène...

musique, livres, disques

Rien ne vaut l'avis des « Nouvelles ».

2. De l'imprimerie au marchand : la diffusion des journaux

On trouve tout naturel d'acheter son journal habituel dans n'importe quel kiosque. Et pourtant, ce journal a souvent été imprimé la veille à cent kilomètres de là, parfois même plus. Comment cela est-il possible ?

À l'origine de la diffusion, il y a les N. M. P. P.(1). Si les imprimeurs livrent les journaux aux trois centres des N. M. P. P. de Paris avant 11 ou 15 heures (suivant la distance), ils seront le lendemain matin chez tous les marchands (même dans les régions les plus éloignées de Paris).

Comme il est financièrement impossible à un journal d'avoir son propre réseau de diffusion, presque tous les journaux édités à Paris utilisent les N. M. P. P. Ces messageries distribuent chaque année à 41 000 points de vente plus de deux milliards d'exemplaires et plus de 2 000 titres différents. Les quotidiens représentent environ 30 % de ce total.

Devant tous ces titres,
les marchands de journaux commencent d'ailleurs à éprouver une certaine lassitude : dans une « librairie-papeterie-journaux », la place est souvent limitée. Et puis, le matin, il faut passer plus d'une heure

---

(1) Nouvelles Messageries de la Presse parisienne.

à faire l'étalage ; le soir, il faut ranger, et trier les invendus...

Les invendus : gros problème ! Et pourtant, les éditeurs essaient de calculer le mieux possible le tirage de leurs journaux et de choisir les points de vente en fonction de la clientèle. Bien entendu, c'est d'autant plus facile que le journal est ancien. Un nouveau journal, lui, a beaucoup plus de difficultés, puisqu'on ne peut pas prévoir quelle sera sa clientèle. D'où le nombre important d'invendus pour certains titres récents...

L. L.-Andersson

De la technique traditionnelle...

L. L.-Andersson

...à la technique
moderne
de fabrication.

Siemens-Hell

3. Presse : un empire

Marc Fresse et Gérard Normand viennent de conclure un accord qui permet à M. Normand de devenir propriétaire de 50 % des parts du journal « Échos-de-France ».

Or M. Normand dirigeait déjà un groupe de presse comprenant 8 hebdomadaires, 10 magazines, une agence de publicité, un important secteur d'imprimerie, 9 quotidiens...

À la suite de cet accord, la rédaction du journal a décidé de se mettre en grève, par 102 voix pour, 35 voix contre, et 2 abstentions.

Les représentants de la rédaction ont adressé un appel à M. Fresse pour le pousser à rompre ses engagements, de manière à maintenir l'indépendance du journal.

Jusqu'à présent, M. Fresse a refusé, sous prétexte que l'accord conclu est le seul moyen de sauver le journal et d'éviter le licenciement d'une partie de son équipe.

De son côté, l'Union nationale des syndicats de journalistes a dénoncé cet accord, qui met M. Normand à la tête du quotidien national du soir ayant la plus forte diffusion.

Va-t-on vers un monopole de la presse ? Cette évolution serait grave et mettrait bien sûr en danger la liberté d'expression. Certains partis de gauche accusent d'ailleurs M. Normand de bénéficier de solides appuis politiques...

En effet, d'après la loi de 1944 :

— tout journal doit mentionner sous son titre le nom de son directeur ;

— le directeur est celui qui possède la majorité des parts ;

— personne ne peut être directeur de plus d'un quotidien.

La tolérance dont bénéficie M. Normand de la part du gouvernement n'a-t-elle pas un rapport avec les élections qui auront lieu dans quelques mois ?

L. L.-Andersson

Larousse

Larousse

Larousse

Gamma

Voiture émettrice d'une station de radio.

4. La mort d'un journal

interview de M. Germon, P.-D. G. de « À l'écoute du monde »

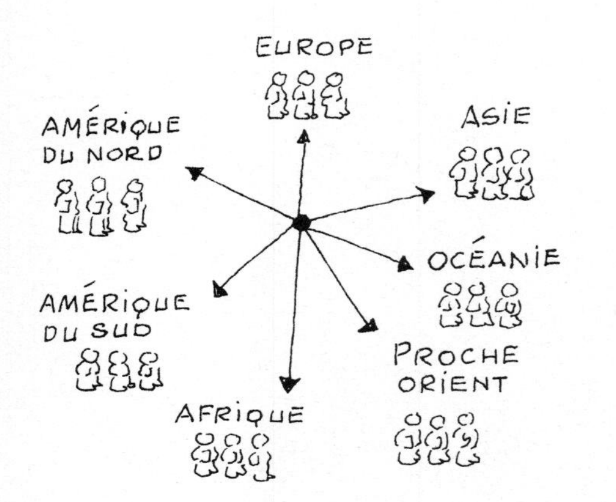

P. A. Pourquoi, à votre avis, ce projet que vous aviez si bien préparé a-t-il si vite échoué ?

M. G. Pour lancer un journal, il faut, vous le savez, réunir une équipe de qualité, recruter des correspondants, constituer une documentation importante, résoudre les problèmes de fabrication. Tout cela, nous avions réussi à en venir à bout. Mais le lancement d'un journal demande aussi des capitaux énormes. Nous pensions les avoir trouvés, de nombreuses entreprises nous ayant promis leur soutien. Or les promesses que nous avions reçues n'ont pas été tenues... C'est pour cette raison seulement que notre journal cessera de paraître...

P. A. Pensez-vous toujours que « À l'écoute du monde » aurait pu réussir ?

M. G. Absolument. Cet échec, je le répète, a des raisons uniquement financières. Nous avions trouvé des lecteurs qui nous ont été fidèles jusqu'au bout... D'autre part, je tiens à féliciter et à remercier l'équipe de rédaction, les techniciens de la composition et de la fabrication, les administratifs, les publicitaires pour leur travail. Et je tiens aussi à leur dire que ce qui aurait pu réussir aujourd'hui reste encore possible demain.

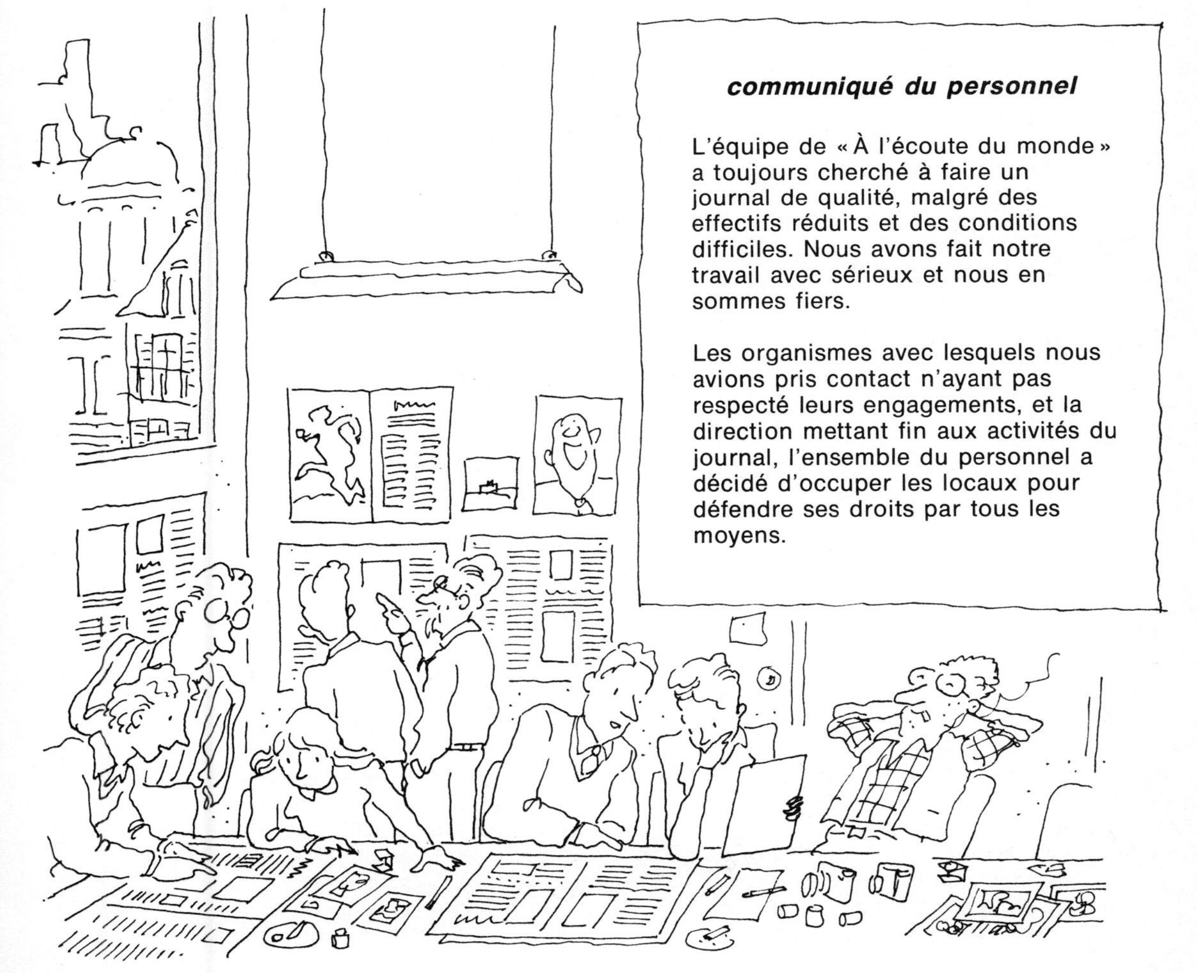

communiqué du personnel

L'équipe de « À l'écoute du monde » a toujours cherché à faire un journal de qualité, malgré des effectifs réduits et des conditions difficiles. Nous avons fait notre travail avec sérieux et nous en sommes fiers.

Les organismes avec lesquels nous avions pris contact n'ayant pas respecté leurs engagements, et la direction mettant fin aux activités du journal, l'ensemble du personnel a décidé d'occuper les locaux pour défendre ses droits par tous les moyens.

8. LE SPORT

1. La course à pied

« Bol » d'oxygène, distraction saine qui permet d'oublier les soucis accumulés pendant la semaine, prétexte pour promener les enfants ou sortir le chien, la course à pied est à la mode.

Le petit monde des coureurs ne cesse de grandir, et on compte maintenant en France plusieurs épreuves qui dépassent les cent kilomètres. Certaines courses connaissent un gros succès : il y avait 10 000 personnes au départ du Paris-Versailles, le 15 octobre.

Mais la course la plus célèbre, c'est certainement celle du « Figaro » : 35 000 participants se lancent en décembre sur les chemins gelés, avec plus ou moins de facilité, bien sûr, suivant leurs dons, leur force... et leur âge.

Quelques amateurs se sont spécialisés dans les courses de montagne (30 ou 40 km de chemins à grimper) ; d'autres sont spécialistes de la longue distance : François de B... vient de traverser l'Australie en courant 3 300 km en 57 jours.

Le ministre de la Jeunesse et des Sports enregistre avec satisfaction ce goût pour les activités physiques :

« L'essentiel, c'est de faire bouger les Français, et de les pousser à enfiler un survêtement... »

course à pied : quelques précautions

La course à pied est bonne pour tout le monde, sans limite d'âge, à condition de respecter certaines règles :

- ne partez pas trop brutalement ;
- augmentez progressivement vos efforts ;
- adaptez le rythme de votre pas au rythme de votre respiration ;
- arrêtez-vous quand vous êtes essoufflé ;
- n'allez jamais jusqu'à l'épuisement.

Et si vous ne pouvez pas pratiquer ce sport quotidiennement, rien ne vous empêche de consacrer chaque jour un quart d'heure à une petite séance de gymnastique... C'est peut-être aussi efficace.

2. Sport et publicité

C'est bien connu, les médailles ne sont décernées qu'aux meilleurs. Dans la grande compétition des articles de sport, le jury de Sport 85 organise quatre fois par an des épreuves pour sélectionner les champions du rapport qualité-prix.

En choisissant les produits « Médaille d'or » vous êtes donc sûr d'y gagner en qualité et en prix. Quel que soit le sport que vous pratiquiez, tennis, ski ou sport d'équipe, demandez au spécialiste Sport 85 de vous montrer les médailles d'or. Vous verrez : vous serez toujours gagnant chez Sport 85.

Lefranc joue et gagne avec Dongey, la raquette du champion.

Lefranc est jeune. Et pourtant, à vingt-deux ans, il a réalisé tous les exploits possibles sur un terrain de tennis, accumulé les victoires, éliminé des adversaires prestigieux, sans leur laisser la moindre chance.

Faut-il rappeler qu'il a remporté les derniers internationaux de France à Roland Garros ? Et déjà, il peut être considéré comme le plus grand joueur de tennis de notre temps, comme le montre un palmarès qui n'est pas encore complet puisqu'il envisage de jouer encore pendant trois ou quatre saisons.

Un match capital pour vous ?

Tous les détails sont importants... les chaussures en particulier.

Comme les grands champions, achetez les chaussures **Chauss-sport.**

Que vous soyez à l'arrivée du Tour de France, ou que vous assistiez à un championnat de ski, vous risquez de ne pas voir les vainqueurs : ils disparaissent entre des murs de publicité.

Les affiches et les annonces vous feront peut-être rater l'arrivée des coureurs... Par contre, vous saurez tout sur les skis X, le vélo Y, le pneu Z...

Et les responsables sportifs osent encore assurer : « L'événement sportif n'est pas une entreprise commerciale... »

MIKO
gitane
RENAULT
gitane campagnolo
maillot Jaune
MAILLOT JAUNE
MIKO
TOUR DE FRANCE
1979

L. L.

Gamma

EST RÉPUBLICAIN
BERRANGER
moquettes
CPIS
COUVERTURE - CH. CENTRAL
EPINAL
sa Favilor

L. L.-Andersson

Presse Sports

3. Dopage : un des problèmes du sport

Tout le monde en parle. Tout le monde le sait. Les sportifs se droguent. L'an dernier, Martin. Aujourd'hui, Berg. Même les « grands » se font prendre.

Tout est bon pour parvenir à de meilleurs résultats ou battre des records, et beaucoup de sportifs acceptent cette « obligation ».

Il y a 25 ans, les athlètes se contentaient de faire des exercices de musculation. Aujourd'hui, pour réaliser des exploits toujours plus prodigieux, on a recours à des méthodes « scientifiques ». L'industrie pharmaceutique crée sans cesse de nouveaux produits efficaces en cas de maladie, mais qui peuvent devenir très dangereux quand ils sont utilisés à d'autres fins.

La lutte contre le dopage a commencé en 1960 : ce sont des médecins qui ont découvert avec surprise le contenu des valises de certains sportifs. La campagne menée depuis a pu aboutir à la loi antidopage du 1er juin 1965.

Mais les produits ne sont pas toujours faciles à découvrir : un médicament vraiment nouveau peut échapper aux analyses. Alors, pour la plupart des sportifs, l'essentiel, c'est de ne pas se faire prendre.

Qui est responsable ? Pourquoi les sportifs trichent-ils ? Il faut souvent accuser l'entourage des athlètes : les dirigeants, les entraîneurs qui n'hésitent pas à encourager le dopage. Et surtout, les sportifs d'aujourd'hui trouvent qu'on leur demande trop. Cette année, par exemple, le Tour de France a obligé les coureurs à faire des efforts qu'ils estimaient anormaux : ils sont allés au-delà de leurs limites ; ils ont traversé les Alpes, les Pyrénées, le Massif Central, avec, entre les courses, des déplacements continuels en voiture, en chemin de fer. Arrivés tard le soir, ils repartaient tôt le matin ; ils n'avaient même plus le temps de dormir...

Bien sûr, ils aiment le public, ils comprennent son goût pour la compétition. Mais le Tour de France est sur le point de devenir, selon eux, complètement inhumain, car les dirigeants, pour maintenir l'intérêt des spectateurs, refusent d'alléger les épreuves...

Le marathon
de Paris.

L. L.

L. L.

L. L.-Andersson

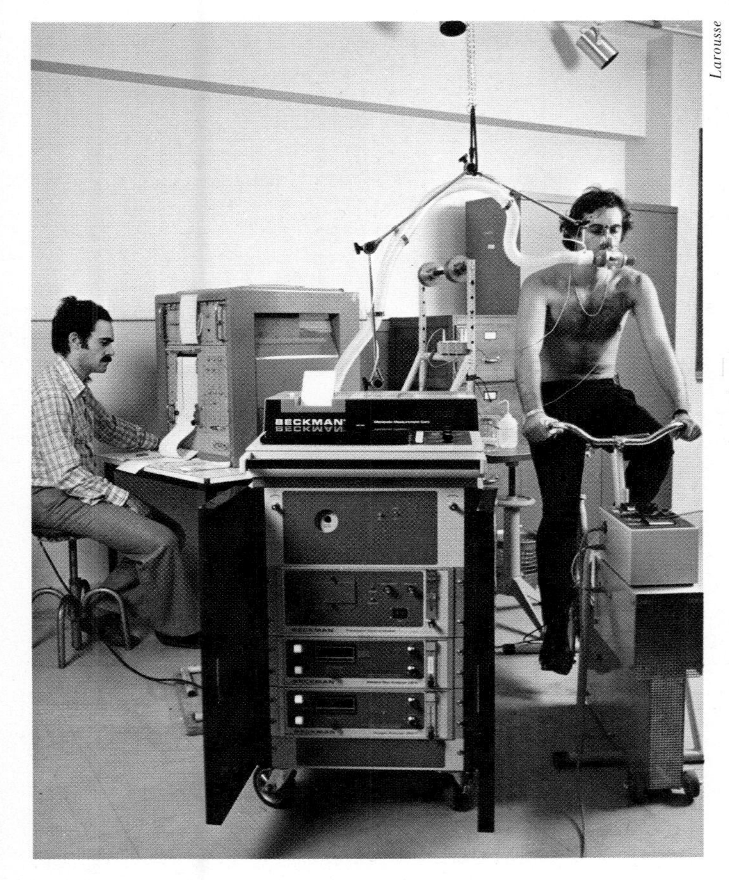

Larousse

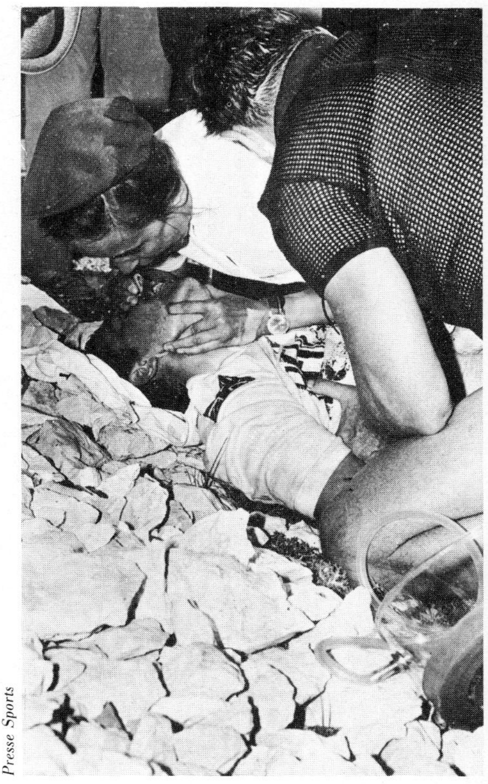

Presse Sports

Dopage : mort d'un cycliste.

4. Sports d'hiver

Record d'affluence pour la saison de sports d'hiver : 3 000 000 de skieurs sont attendus cette année. Ils étaient 2 850 000 l'an dernier. Si les prévisions se confirment, ils devraient être 3 200 000 l'an prochain et 4 500 000 dans deux ans.

Au début des années 70, les sports d'hiver touchaient une clientèle aisée. Sur 100 Français prenant des vacances à la neige, plus de la moitié appartenait au dixième de la population qui dispose des revenus les plus élevés. Actuellement, ce pourcentage a nettement diminué, au profit de catégories moins privilégiées.

Parallèlement, on assiste à un autre phénomène intéressant : le développement du ski de fond. Il y a quinze ans, ce sport n'attirait qu'une poignée de gens. On attend un million de skieurs cet hiver.

Alors que le ski alpin exige des équipements et un apprentissage souvent coûteux, le ski de fond est un sport beaucoup plus « démocratique » : il ne demande pas beaucoup de matériel. Et puis, on peut le pratiquer à tout âge.

D'autre part, les capacités maximum d'accueil ne vont pas tarder à être atteintes pour le ski alpin. En effet, sur 87 000 km^2 dont l'altitude dépasse 1 000 mètres, 1 700 km^2 seulement (soit moins de 2 % de cette superficie) sont utilisables pour le ski alpin.

Le développement du ski a permis à la population rurale de bénéficier de certains services (eau, routes, téléphone) dont elle ne disposait pas encore. Il a également contribué à limiter l'exode des jeunes vers la ville, en créant des emplois. Pour aider les populations rurales à participer aux activités touristiques, il existe de nombreux centres, qui préparent les jeunes et les adultes aux métiers de la neige (moniteurs, par exemple), mais aussi à d'autres métiers, comme celui du bâtiment, qui peuvent se pratiquer l'été...

D'après Nouvelles de France, *nº 25.*

9. ENTREPRISES

1. Monter une entreprise

Monsieur Darband, vous venez de monter une entreprise. Quels sont les problèmes que vous avez rencontrés ?

Essentiellement des problèmes administratifs et financiers. Depuis le dépôt du projet jusqu'au moment où mon entreprise a pu exister légalement, il a fallu sept mois de démarches. Ce n'est pas étonnant quand on pense qu'il y a plus de 28 000 textes parus sur la réglementation des prix depuis 1945 ! Mais tous les papiers à remplir découragent probablement bien des gens... D'autre part, le système des prêts n'est pas adapté. Les sociétés régionales de développement ne peuvent pas prêter moins de 200 000 F. C'est bien supérieur aux besoins de la plupart des créateurs : beaucoup de projets, actuellement, ont en effet un caractère artisanal.

Quel parcours un chef d'entreprise doit-il suivre ?

Il faut d'abord formuler un projet par écrit, en précisant quel marché on envisage, quel produit on a l'intention de vendre, où on compte s'installer, quel personnel on veut embaucher, quels sont les investissements.
Il faut également faire un budget, en prévoyant les dépenses et les recettes sur trois ans.
On dépose ensuite son dossier et on attend l'autorisation des banques. Puis il faut s'inscrire au registre du commerce.
Après un certain nombre d'autres formalités (à la direction des impôts en particulier) l'entreprise est enfin en mesure de fonctionner... et de faire des factures.

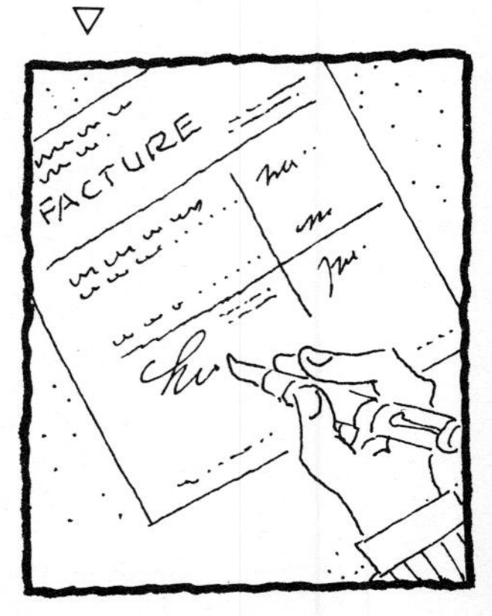

C'est à ce moment-là qu'on voit si les prévisions étaient exactes. Quand la trésorerie n'est pas saine, l'entreprise ne tarde pas à mourir : 50 % des entreprises nouvelles sont obligées de fermer au bout de 3 ans, 75 % au bout de 5 ans.

Si vous aviez à proposer des mesures pour encourager les créations d'entreprises, lesquelles choisiriez-vous ?

Pour commencer, une réforme fiscale : il faudrait alléger les impôts des créateurs pendant 4 à 5 ans. On devrait également leur permettre d'embaucher du personnel sans payer trop de charges sociales, qui menacent l'équilibre financier des jeunes entreprises.

D'autre part, il faudrait adapter les prêts : l'État a déjà pris des mesures pour encourager les particuliers à investir dans les entreprises. Mais seules les entreprises connues bénéficient de ce système. On devrait aussi favoriser les investissements dans les entreprises jeunes.

2. Vers un emploi du temps plus souple...

une entreprise à Melun : travail « à la carte »
et travail à temps partiel

Dans cette entreprise, qui emploie 350 salariés, on peut arriver à l'heure que l'on veut, sans autre contrôle qu'un tableau de service, établi chaque vendredi soir pour la semaine suivante.

On travaille du lundi au vendredi, huit heures par jour, entre 6 heures du matin et 22 heures, avec 45 minutes déduites du temps de travail pour déjeuner.

Ce système est d'autant plus apprécié que la majorité des employés sont des femmes, qui ont ainsi la possibilité d'aménager leurs journées de travail en fonction des problèmes éventuels — enfant malade, visite du médecin, courses...

C'est un gros effort de formation qui a rendu cette expérience possible. Dans les ateliers, les employés sont en effet capables de tenir tous les postes de travail....

Autre solution intéressante : le travail à temps partiel. À condition de ne pas aller à l'encontre des besoins du service, un employé peut décider, telle ou telle semaine, de travailler moins de 40 heures. Bien sûr, le traitement est diminué, mais le système offre tout de même une liberté appréciable.

Enfin, le personnel dispose de cinq semaines de congés payés qu'il peut étaler sur toute l'année. Il a libre accès à une cafétéria, qu'il gère d'ailleurs lui-même (0,1 % de fraude seulement).

Paternalisme, diront certains. En tout cas, le directeur ne se considère pas comme un démagogue, puisqu'il y trouve lui aussi son bénéfice : la production a augmenté de façon spectaculaire et les absences, elles, ont diminué...

TRAVAIL INTÉRIMAIRE

Soyez celui qu'on cherche
et non pas celui qui cherche.

Si vous voulez être plus libre, et si vous êtes tenté par le travail intérimaire, venez nous voir.

Avec nous, vous êtes protégé par un contrat qui mentionne votre qualification, votre rémunération...

Vous aurez les mêmes droits que les salariés.

Vous serez orienté grâce à des tests...

Vous bénéficierez d'une formation solide.

Et vous gagnerez bien votre vie.

Agence Gaumet — Tél. 000-27-92

L. L. - Andersson

L. L. - Andersson

L. L.

L. L. - Andersson

3. Le « travail noir »

Le secrétariat d'État aux travailleurs manuels étudie actuellement plusieurs mesures destinées à combattre le travail noir, que patrons et syndicats sont unanimes à condamner.

Le travail noir est évidemment difficile à mesurer et à réprimer, puisqu'il se pratique en dehors des obligations légales. Mais on peut supposer que les secteurs les plus touchés sont le bâtiment, la confection, la réparation automobile.

En Île-de-France, le travail noir dans le bâtiment représenterait un chiffre d'affaires de un milliard de francs. Et il existe des maisons construites entièrement « au noir ». Dans la

confection, certains ateliers de la banlieue parisienne emploient jusqu'à 30 personnes non déclarées.

Parmi ceux qui travaillent ainsi, on trouve des chômeurs, des femmes, des immigrés sans permis de travail, ou encore les employés des administrations qui ont la possibilité d'acheter des matériaux et des équipements au prix de gros, et qui en profitent pour les revendre avec des bénéfices appréciables...

Mais la notion de « travail noir » n'est pas toujours facile à définir. Où finit le « bricolage », le « coup de main » donné à un ami ? Où commence le travail illégal ? D'autre part, celui-ci bénéficie souvent de la complicité générale : même les entrepreneurs du bâtiment hésitent souvent à le dénoncer. Il faut bien dire aussi qu'il constitue pour certains fournisseurs un débouché appréciable et que beaucoup de travaux ne seraient sans doute pas réalisés s'il n'existait pas. Quant à celui qui le fait exécuter, il y trouve de toute évidence un avantage de coût, et peut-être aussi un meilleur contact avec le travailleur.

La répression est donc très difficile. Dans le Val-de-Marne, une commission départementale de lutte contre le travail noir a pourtant obtenu quelques résultats : 1 500 contrôles de police en 4 mois, 85 procès. Mais l'État cherche surtout à sensibiliser le public aux risques qu'il court, en particulier en cas d'accident.

On peut craindre cependant que ces mesures n'aient qu'une portée limitée...

Rey - Gamma

R. Poinot

L. L. - Andersson

Ciccione - Rapho

4. La Sodec : comment faire survivre une entreprise

Il y a 10 ans déjà, les employés de la Sodec avaient étonné la France en remettant en route les chaînes de montage de montres de leur usine occupée. « On produit, on vend, on se paie. » Le monde ouvrier se souvient de ces dix mois de lutte pas comme les autres. La Sodec était devenue un formidable exemple, ne laissant personne indifférent.

Ce mois-ci, les ouvriers ont décidé de recommencer à fabriquer des montres, et de les vendre pour leur propre compte, comme par le passé. Les ASSEDIC[1] cesseront en effet le 13 juin prochain de leur verser les 90 % de leur salaire prévus par la loi en cas de licenciement pour motif économique, et les huit cents ouvriers et employés de la Sodec sont menacés de ne plus recevoir que 400 F par mois.

Comment vivre avec 400 F chacun ? Et cela, à V... qui compte déjà beaucoup de chômeurs ?

(1) Associations pour l'emploi dans l'industrie et le commerce.

À la suite d'une assemblée générale, les responsables syndicaux ont déclaré :

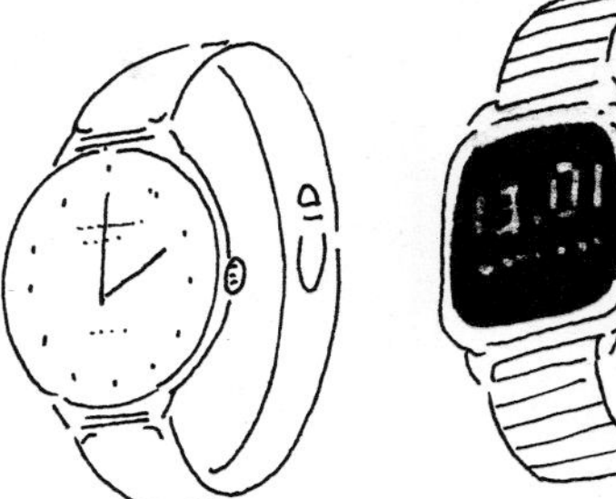

« Il faut que nous trouvions un second souffle, que nous recherchions de nouvelles solutions... L'avenir est angoissant. Alors, il faut le préparer...

« Nous allons fabriquer une montre mécanique très bon marché. Elle sera solide, efficace, et coûtera 60 % moins cher que ses concurrentes. Naturellement, nous la vendrons. Mais nous nous considérons toujours comme chômeurs. Ces gains ne seront qu'un complément.

« D'autres montres de la collection habituelle seront montées, environ 10000. Et aussi des montres à quartz, qui seront vendues avec 50 % de réduction.

« On recherchera des débouchés à l'étranger. Des négociations sont déjà engagées avec le Nigeria et l'Algérie. Il est question de signer un contrat... »

Quelles chances reste-t-il à la Sodec ? L'industrie des montres a des centaines d'applications électroniques possibles : les télécommunications, l'électroménager, et surtout les appareils médicaux. Depuis un an, les ingénieurs du bureau d'études réfléchissent à la question. Déjà, cinq brevets ont été déposés. De nombreux contacts ont été pris avec les hôpitaux. Le savoir-faire de la Sodec pourrait servir à mettre au point toute une gamme de produits aujourd'hui importés.

Qui saura éviter que tant de compétences soient perdues ?

10. LA POLLUTION

1. Le bruit

Tout le monde circule en voiture, prend le métro, travaille dans un atelier ou dans un bureau plus ou moins bruyant. Et le bruit d'un carrefour animé, du métro ou de plusieurs machines à écrire atteint parfois des limites à peine supportables.

Mais le pire, c'est peut-être de vivre en bordure d'une autoroute ou à proximité d'un aéroport.

Les habitants de Savigny auraient beaucoup à dire sur ce sujet. Savigny était autrefois un endroit très agréable. Jusqu'au jour où le ministère de l'Équipement, pour satisfaire les besoins des automobilistes, a décidé de faire passer par là l'autoroute A6.

« Il y a de quoi devenir fou ! » disent les habitants. « À longueur de journée, il faut élever la voix pour s'entendre. Quand on allume la télévision ou la radio, il faut mettre le son au maximum. » Les enfants ont du mal à s'endormir, et ils sursautent dans leur sommeil chaque fois qu'un camion passe. Les pharmaciens du pays font fortune avec les sirops calmants et les tranquillisants...

Les conséquences du bruit sont souvent dramatiques : il ne risque pas seulement de rendre sourd ; il perturbe aussi le système nerveux. D'après certains médecins, il serait à l'origine de 52 % des maladies nerveuses.

Alors, que faire ?

À l'Haÿ-les-Roses, pour protéger les habitants, on a construit un mur de 8,50 m de haut et de 900 m de long. Ailleurs, on essaie de couvrir certaines portions de route ou d'élever des buttes de terre.

Mais l'addition est toujours lourde. Certains conseillers municipaux suggèrent pourtant de recouvrir les parties les plus bruyantes du boulevard périphérique, et d'aménager l'espace obtenu en terrains de sport ou en jardins.

C'est une solution qui coûte cher, mais le paysage y gagnerait.

2. L'« Amoco Cadiz »

Le jeudi 16 mars 1978, à 10 h 45, au nord-est de l'île d'Ouessant, l'« Amoco Cadiz » (338 mètres de long et 53 mètres de large) qui transporte 220 000 tonnes de pétrole, est en difficulté.

Le capitaine fait appel à un remorqueur, mais les négociations sont longues : pour intervenir, le patron du remorqueur exige 10 % du montant de la cargaison.

Quand l'accord est enfin conclu, il est déjà trop tard ; à 22 h 45, l'« Amoco Cadiz » vient heurter les rochers de Portsall : le pétrole s'échappe des cuves.

On a aussitôt essayé d'absorber la nappe avec des produits chimiques, des barrages flottants, des pompes de nettoyage...

Mais tous ces moyens se sont montrés inefficaces : depuis que l'« Amoco Cadiz » s'est échoué, la nappe de pétrole n'a pas cessé de s'étendre. La côte disparaît sous un dépôt de pétrole. Les oiseaux se prennent les pattes et les ailes dans le pétrole.

Les conséquences sont dramatiques pour la Bretagne. Il faudra beaucoup de temps avant que le milieu naturel ne retrouve son équilibre. Les algues risquent de disparaître pendant des années. Les coquillages, les poissons sont morts en quantité impressionnante.

Les pêcheurs sont désespérés.

« Qu'est-ce qu'on va faire maintenant ? Il n'est plus question de retourner en mer... Quand il fera beau, on plantera quelques pommes de terre. Mais il ne faut pas compter là-dessus pour vivre » déclare J. F., qui vient tout juste de payer son bateau.

Et on se pose des questions : pourquoi ce drame ?

On peut accuser beaucoup de monde :

— le capitaine de l'« Amoco Cadiz » d'abord, qui n'a pas suffisamment contrôlé l'état du bateau ;

— le patron du bateau remorqueur, qui aurait dû lui porter secours aussitôt qu'on le lui a demandé ;

— certaines compagnies pétrolières qui, par souci de rentabilité, ne respectent ni les normes techniques, ni les conditions élémentaires de sécurité ;

— les gouvernements enfin, qui ne sont pas capables d'imposer une politique de la mer.

Combien faudra-t-il d'« Amoco Cadiz » pour qu'on se décide à réagir ?

L. L. - Andersson

Boissonnet

Novovitch - Sygma

Folco - Gamma

L. L.

3. L'envahissement du littoral

La moitié du littoral français est déjà envahie par les constructions : de Dunkerque à Menton, les 5500 km de côtes sont en danger.

Entre 1962 et 1975, la population côtière s'est accrue trois fois plus vite que celle du reste du pays.

Cette conquête du littoral ne date pas d'aujourd'hui. La côte a d'abord été occupée par les grandes propriétés de l'aristocratie et de la haute bourgeoisie, en certains points précis (les plus agréables !) : Nice, Cannes, Biarritz, La Baule, Deauville...

Entre les deux guerres, la moyenne bourgeoisie découvre à son tour les charmes des séjours au bord de la mer, et les avantages de l'air marin. Les villas apparaissent, et les côtes landaises, charentaises, bretonnes, normandes perdent un peu de leur personnalité. Bien sûr, les stations à la mode ont leur charme, mais la côte n'est plus ce qu'elle était...

Enfin, à mesure que le niveau des classes moyennes s'améliore, et que les congés payés se généralisent, les promoteurs n'arrêtent pas de construire : tours, lotissements, ports de plaisance se multiplient. On construit même des plages artificielles, qui deviennent de véritables foyers de pollution, puisqu'elles ne sont pas touchées par les marées.

Mais, dès 1970, on commence à prendre conscience du danger : habitants et touristes s'indignent contre ces kilomètres de plages privées auxquels le public n'a pas accès, et contre ces constructions qui ne tiennent aucun compte des particularités du pays.

Différentes associations (surtout des écologistes) parviennent à gagner quelques procès, et obligent les pouvoirs publics à réfléchir au danger...

Mais outre les problèmes économiques et politiques que pose parfois la protection du littoral, il reste souvent à persuader les Français eux-mêmes. Certes, d'après un sondage de la SOFRES[1], 86 % d'entre eux seraient disposés à acquérir un logement à l'intérieur des terres, pour protéger la côte. Mais tant qu'ils verront les promoteurs construire des logements en bordure de mer, ils seront tentés d'en acheter.

Il faudrait donc interdire à la construction une bande de 300 à 400 m tout le long de la mer... Ce serait la dernière chance du littoral.

---

(1) Société française d'enquêtes par sondages.

L. L. - Andersson

L. L. - Andersson

L. L. - Andersson

L. L. - Andersson

4. Une alimentation saine ?

On nous dit que pour avoir une alimentation saine et équilibrée, il faut disposer de légumes et de fruits frais. Or, si les produits qu'on trouve chez les commerçants ne manquent pas de couleurs, ils ne tiennent pas souvent leurs promesses quand on les mange.

Les écologistes iront même jusqu'à vous dire :

- que les bananes qu'on vous vend « bien mûres » sont en fait presque pourries : elles étaient vertes au moment où on les a cueillies ;

- que les pommes vendues au printemps ou au début de l'été ont été récoltées l'automne précédent ; aussi attendez-vous à les trouver peu juteuses, sans compter qu'elles peuvent avoir subi quelques traitements chimiques !

- que les fraises et les cerises n'ont poussé qu'au prix d'arrosages abondants et d'apports massifs d'engrais chimiques ; ne vous étonnez donc pas si elles sont fades ;

- que les pommes de terre se conservent plusieurs années... une fois qu'elles ont subi un certain nombre de rayons ;

- que les carottes ont été abondamment arrosées de désherbant ;

- que vos tomates sont molles non pas parce qu'elles sont bien mûres, mais parce qu'on les a cueillies il y a plus d'une semaine...

Il y a vraiment de quoi perdre l'appétit ! !

Alors que faire, dans ces conditions ?

S'approvisionner dans les boutiques de diététique ? Elles se sont, en effet, multipliées récemment, et proposent souvent des produits plus frais et plus sains à leurs clients. Mais hélas, les prix sont eux aussi plus élevés, et quelquefois plus justifiés par la mode que par la qualité...

Alors, si vous avez la chance d'habiter à la campagne ou de disposer d'un morceau de terrain, vous aurez peut-être la satisfaction de servir à vos amis une soupe « du jardin »...

Quant aux autres, s'ils ne veulent pas perdre l'appétit, ils ont probablement intérêt à manger avec philosophie le contenu de leur assiette, sans lire trop de revues de diététique...

11. ÉTUDIANTS

1. Les stages de formation

On regrette souvent que le monde étudiant soit coupé du milieu professionnel. C'est pour remédier à cette situation que les pouvoirs publics insistent actuellement sur la nécessité d'une formation alternée, où les études et les stages dans les entreprises seraient étroitement liés.

Bien qu'on soit, en France, naturellement méfiant à l'égard du patronat qu'on soupçonne toujours de vouloir contrôler l'université, on se rend compte actuellement à quel point il est important que les étudiants s'adaptent au monde du travail. Quelle que soit leur forme, les stages sont incontestablement une source d'enrichissement sur le plan pédagogique, professionnel... et matériel pour les jeunes.

Pourtant, c'est encore un usage peu répandu en France. Ce sont les grandes écoles qui ont d'abord adopté la formule des stages, puis les I. U. T.[1]. Les universités commencent à suivre leur exemple.

Les stages peuvent être obligatoires : dans de nombreuses écoles, ils font partie de la scolarité, et se déroulent en dehors des périodes de vacances. Ils se terminent par un rapport de stage, que l'étudiant doit soutenir devant un jury composé d'un membre de l'établissement d'enseignement et d'une personne de l'entreprise qui a accueilli le stagiaire.

Le diplôme de fin d'année est accordé en fonction de la note obtenue... Dans ces écoles, les responsables des stages recherchent eux-mêmes les entreprises qui pourront accueillir les étudiants.

Dans les universités, au contraire, les étudiants doivent se débrouiller seuls le plus souvent, même si, en principe, il existe là aussi des personnes chargées des contacts avec le monde de l'industrie...

---

(1) Instituts universitaires de technologie.

École de gestion

Il n'y a pas un temps pour apprendre, puis un temps pour travailler. Depuis plusieurs années déjà, nous vous proposons une formation qui vous assurera une excellente adaptation à la vie professionnelle.

Cette formation s'étend sur deux périodes :

- *Une première période de 14 mois au cours de laquelle vous pourrez acquérir les connaissances de base de la gestion (organisation, gestion financière, économique et sociale de l'entreprise, langues). Trois stages dans une entreprise vous permettent d'avoir en même temps une expérience de la vie professionnelle.*

- *Une deuxième période de 22 mois au cours de laquelle vous êtes salarié, car vous travaillez à plein temps dans une entreprise, mais vous revenez trois jours par mois à l'École.*

À l'École de gestion, il ne s'agit plus seulement de faire des études, mais d'entrer dans la vie active...

2. Chercher une chambre

Après le bac, les étudiants sont souvent obligés de quitter la ville où ils ont fait leurs études secondaires, parce qu'aucun établissement ne dispense l'enseignement qu'ils veulent suivre.

Or, vivre et se loger avec des moyens limités, ce n'est pas facile, et des milliers de jeunes cherchent chaque année le « toit » le plus économique.

Des solutions, il y en a plusieurs.

• Les « foyers », d'abord. Un avantage évident : ce n'est pas trop cher. On peut trouver dans Paris une chambre pour 500 F et une pension complète pour 1 200 F. On a même la possibilité de faire sa cuisine. Évidemment, le confort est un peu sommaire : si tous les foyers ont maintenant la télévision, et même une bibliothèque, les pièces communes sont rarement accueillantes, et, le plus souvent, les visites sont interdites dans les chambres. Bien entendu, les foyers mixtes sont rares. D'autre part, on ne peut pas rentrer après 22 heures. Vous arriverez peut-être à vous procurer une clef, mais jamais de façon officielle.

• Deuxième solution : les résidences universitaires. Elles sont gérées par les C. R. O. U. S.[1] et les étudiants participent aux conseils d'administration. Cette solution présente des avantages certains : les prix, l'indépendance, la vie avec des camarades, la possibilité de travailler en groupe, une grande liberté.

Mais les inconvénients sont également nombreux : beaucoup se plaignent du bruit, et surtout de l'isolement. Les « campus » sont en effet très éloignés du centre des villes. D'autre part, le cadre est souvent démoralisant.

« L'ambiance n'est pas gaie » dit Antoine, étudiant de psychologie à Nanterre. « Ma chambre est chouette, mais elle est petite. J'aimerais sortir plus souvent : mais, à Nanterre, il n'y a vraiment pas grand-chose à voir. »

---

(1) Centres régionaux des œuvres universitaires et scolaires.

• La troisième solution, c'est la chambre chez l'habitant. Là encore, plusieurs possibilités : ou bien vous payez un loyer comme n'importe quel autre locataire, ou bien vous êtes logé contre un petit travail. C'est ce qu'on appelle les chambres « au pair ». En échange d'un logement, on vous demandera de garder des enfants, ou de faire du ménage. On peut aussi faire appel à vos services pour peindre un mur, ou garder un chien... Les travaux effectués peuvent représenter de 6 heures à 15 heures par semaine. En général, vous pourrez utiliser la salle de bains, la cuisine, et quelquefois le réfrigérateur. Mais il faudra que vous supportiez le contact avec la famille qui vous loge...

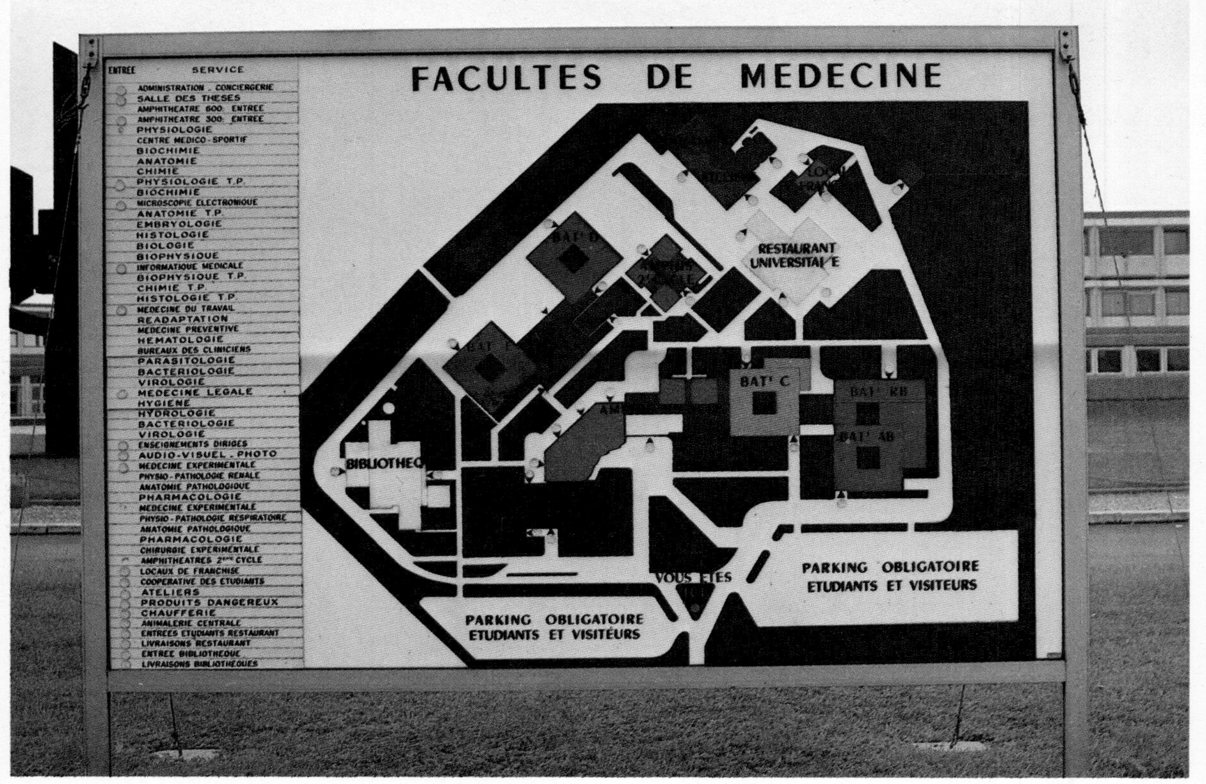

L. L. - Andersson

UNIVERSITÉ DE METZ

U. E. R. - SCIENCES EXACTES ET NATURELLES

Ile du Saulcy - 57000 METZ - Téléphone : (87) 30.58.40

"MESURES et CONTROLE"

Licence et Maitrise de Sciences Physiques Appliquées

FINALITÉ :

Formation de cadres scientifiques spécialisés dans les Mesures et les Controles physico-chimiques.

RECRUTEMENT :

Titulaires du DEUG A, de DUT Scientifiques ou de titres équivalents, sur examen du dossier.

ORGANISATION DE L'ENSEIGNEMENT :

Enseignement pluridisciplinaire fondamental (Tronc commun : P1, C1, P2, C2) complété par un enseignement optionnel spécialisé en mesures physiques (Option OP1, OP2) et chimiques (Option OC1, OC2).

Première année : Licence (550 h)

P1 : Optique, Mécanique-Résistance des matériaux, Technologie générale, Métrologie générale.

C1 : Atomistique et liaison chimique, Cinétique, Catalyse, Spectroscopie appliquée.

OP1 : Electronique, Technologie électrique, Conception de systèmes.

OC1 : Chimie minérale appliquée, Chimie organique appliquée, Techniques générales de laboratoire.

Deuxième année : Maitrise (400 h et stage longue durée)

P1 : Mathématiques appliquées et Analyse numérique, Thermique, Mécanique des fluides, Physique du solide.

C2 : Thermodyn. Chim., Polymères de synthèse, Méthodes d'analyse physico-chimique.

OP2 : Métrologie, Contrôle, Conception de systèmes.

OC2 : Electrochimie, Polymères naturels et biochimiques, Chimie et technol. des rejets.

DÉBOUCHÉS :

Secteur privé (services études, contrôles industriels et technico-commerciaux).

Secteur public (concours techniques aux grandes administrations).

Accès à certaines Ecoles d'Ingénieurs et formations de 3e Cycle.

RENSEIGNEMENTS, INSCRIPTIONS :

S'adresser à l'UER Sciences, Service Scolarité, Campus Universitaire du Saulcy, 57000 METZ

Le Directeur de l'UER : G. RHIN — Le Président de l'Université : P. FERRARI

L. L. - Andersson

L. L. - Andersson

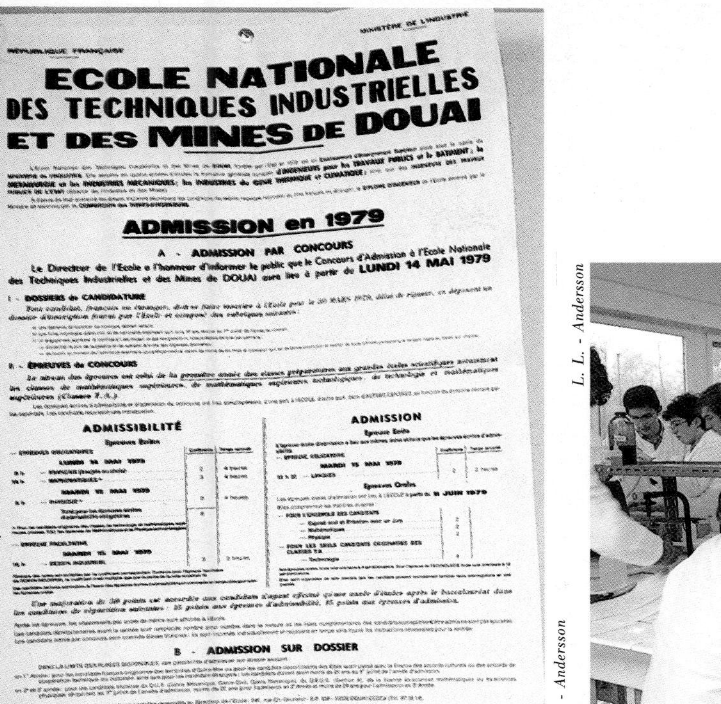

L. L. - Andersson

L. L. - Andersson

L. L. - Andersson

3. Les problèmes des universités

question C'est déjà le mois de mai, mois où, traditionnellement, les étudiants s'agitent. Or, cette année, les universités n'ont pas connu une seule grève sérieuse. Monsieur le ministre, ne trouvez-vous pas que cette situation a de quoi surprendre ?

réponse Non, justement. L'an dernier, certaines universités ont perdu près de trois mois de cours, qu'il a bien fallu récupérer sur les vacances. C'est une expérience que ni les enseignants, ni les étudiants ne tiennent à renouveler.

Q. L'université semble pourtant traverser une crise. Les présidents se plaignent tous des difficultés qu'ils ont à gérer leurs établissements. À tort ou à raison ?

R. Les universités ne sont tout de même pas dans la misère ! Certes, elles sont moins riches qu'il y a quelques années. Mais les ressources dont elles disposent sont bien suffisantes pour assurer la préparation des diplômes. Dans ce secteur comme dans les autres, il faut éviter le gaspillage.

Q. Et d'après vous, les présidents d'universités ne savent pas toujours le faire ?

R. Il faut bien dire que ce sont rarement des gestionnaires. Encore que beaucoup d'entre eux fassent des efforts dans ce domaine. Mais savez-vous, par exemple, qu'il y a plus de 100 000 places vacantes dans les locaux scientifiques, alors que dans certaines disciplines on est à l'étroit ? Il arrive souvent que les présidents ne sachent pas répartir leurs locaux.

Q. La crise que traverse l'université n'est pas seulement financière. Beaucoup d'universitaires ont l'impression qu'à partir de 35 ans leur carrière est finie, et qu'ils n'ont plus aucun espoir de promotion.

R. C'est en effet un problème. De 1965 à 1972 on a procédé à un recrutement massif d'enseignants. Or, actuellement, le nombre d'étudiants n'augmente plus. Il n'y a donc plus de créations d'emplois. Et les 15 000 assistants de l'enseignement supérieur risquent de rester longtemps au même grade.

Q. Il n'y aura donc plus de créations d'emplois avant longtemps ?

R. Si. Mais nous créerons des emplois liés à la recherche pure.

Q. Est-ce qu'il n'est pas un peu paradoxal de mettre ainsi l'accent sur la recherche, alors qu'on sent de plus en plus la nécessité d'un lien entre l'université et le monde professionnel ?

R. Non. Les milieux patronaux s'aperçoivent qu'à côté des ingénieurs sortis des grandes écoles ils ont besoin de cadres formés à la recherche. Et c'est la qualité des laboratoires de recherche dans les universités qui les intéresse.

Q. Est-ce que, justement, la qualité de la recherche est compatible avec le nombre des universités ?

R. Oui, à condition que les universités se spécialisent dans un domaine particulier, sans chercher à tout enseigner. C'est la seule façon d'éviter la médiocrité.

L. L. - Andersson

L. L. - Andersson

L. L. - Andersson

Larousse

4. Les étudiants étrangers

Plus d'un étudiant sur dix en France est étranger. Et le nombre des étrangers est en augmentation constante depuis quelques années, alors que les effectifs d'étudiants français restent stables. La répartition par cycles d'études montre qu'en forte proportion les étudiants étrangers viennent en France pour commencer des études (45,2 % en 1er cycle). Mais un certain nombre d'entre eux viennent également pour suivre des études plus spécialisées (21,6 % en 3e cycle, proportion nettement supérieure à celle que l'on relève sur l'effectif des étudiants français). Ils choisissent pour la plupart la région parisienne : 51 % des étudiants étrangers s'inscrivent dans les académies de Paris, Créteil et Versailles.

Ces chiffres importants expliquent la nécessité d'une politique d'accueil. Et même la très sérieuse Cour des comptes s'inquiète :

« Cette situation, pour favorable qu'elle soit au rayonnement et à la diffusion de la culture française, ne manque pas de poser à ceux qui ont la responsabilité de l'accueil et de la formation de ces étudiants des problèmes dont la difficulté s'accroît avec le nombre des bénéficiaires. »

Difficulté dont les étudiants souffrent d'ailleurs en priorité ! Si beaucoup se disent satisfaits de leur séjour en France, certains ont gardé un souvenir très désagréable des moments d'adaptation et reprochent aux différentes institutions chargées de les accueillir de manquer d'organisation.

Il y a plus grave : l'absence d'information préalable sur le contenu des études qu'ils pouvaient mener en France a mis quelques étrangers dans une impasse :

« Personnellement, se plaint Assad, étudiant syrien, j'ai beau écrire dans toutes les universités que je connais, je ne trouve aucun professeur qui accepte de diriger ma thèse de 3e cycle. »

Pour éviter les situations de ce genre, le secrétariat d'État aux universités a créé une délégation qui coordonne l'action internationale et encourage les universités à conclure des accords bilatéraux.

Les objets de ces accords sont très divers et se traduisent principalement par des échanges d'étudiants et d'enseignants, l'établissement de programmes communs d'enseignement et de recherche, l'organisation de colloques d'information et la création en commun de nouveaux enseignements.

D'après le Guide de l'étudiant 1978-1979.

Pour séjourner en France

le visa

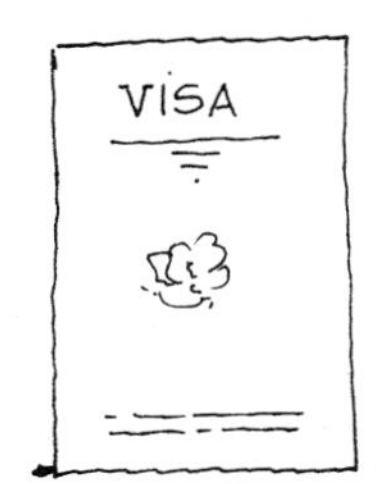

Les étudiants doivent absolument être munis d'un visa d'entrée en France pour études, délivré par les services consulaires du pays de résidence. Sinon, ils ne seront pas admis. Le futur étudiant étranger doit faire toutes les démarches nécessaires quand il est encore dans son pays.

la carte de séjour

Elle est délivrée, après l'entrée en France, par la préfecture de police de votre département, ou à défaut le commissariat de police ou la mairie. Pour obtenir une carte de séjour, il faut la demander dans les huit jours et produire :

- *le visa pour étudiant apposé par le consulat de France dans votre pays de résidence ;*
- *une attestation provisoire d'inscription dans un établissement d'enseignement supérieur ;*
- *trois photographies d'identité de face et tête nue ;*
- *l'attestation d'inscription provisoire ;*
- *la justification de vos moyens d'existence (bourse, attestation ou reçus bancaires).*

Guide de l'Étudiant 1978-1979.

12. DES ORDINATEURS AU BRICOLAGE

1. Télématique : la France s'équipe

Si l'opinion reste encore assez indifférente aux satellites (considérés comme des engins destinés aux savants), les Français n'en sont pas moins amenés à en tenir compte de plus en plus dans leur vie quotidienne.

En effet, deux projets sont actuellement à l'étude.

Le plus spectaculaire : un satellite de télédiffusion. Son rôle ? Permettre à chaque Français de recevoir sur son écran de télévision 5 chaînes nouvelles. Les émissions seront reçues directement de l'espace, si bien que les 500 000 Français (habitants des vallées profondes) jusqu'à présent privés de télévision, pourraient en bénéficier.

Autre projet, auquel le ministère semble particulièrement favorable : le satellite Telecom 1. À quoi servira-t-il ?

— Grâce à lui, on pourra tenir des réunions à distance, en se servant de l'écran de télévision.

— Il permettra aussi de transmettre directement un texte à mesure qu'il est composé.

Télécom 1 a des chances de rendre à notre industrie des services qu'on n'imagine encore que confusément. Aux industriels de savoir en tirer parti...

D'autre part, la France vient d'inaugurer le réseau français de télématique (Transpac) qui a déjà 300 abonnés dans les grandes et moyennes entreprises — réseau que la direction générale des Télécommunications compte bien élargir, en l'introduisant chez les particuliers. Bientôt, 3 000 ménages seront équipés pour recevoir la télématique : un petit clavier permettra à chaque particulier d'interroger de chez lui des banques de données, et de lire les réponses sur son poste de télévision. Ces réponses seront acheminées :

— soit par ligne téléphonique (procédé Titan) ;

— soit par le réseau de télévision (procédé Antiope).

Les particuliers pourront ainsi avoir accès aux horaires de chemin de fer, aux renseignements administratifs, aux informations météorologiques, aux programmes des spectacles... Les renseignements donnés seront d'intérêt local ou national.

Sur le plan régional, les communes veilleront en particulier à ce que soient diffusées la liste des médecins et des pharmaciens de garde, et des indications pour les joindre. Les associations de consommateurs pourront faire connaître au public les prix intéressants du jour, ou diffuser des tests sur différents produits...

La télématique risque d'être une véritable révolution dans la vie quotidienne des Français !

2. Ordinateurs...

POUR MIEUX GÉRER :
L'INFORMATIQUE À LA MESURE DES VRAIS BESOINS

Une petite entreprise de 22 personnes. Son activité : la location, la vente, la réparation de bateaux et la vente d'accessoires dans un magasin en libre-service.

Son objectif : améliorer la facturation et la gestion d'un stock de 5 000 articles, supprimer les erreurs d'étiquetage, éviter les ruptures de stocks, améliorer les délais de livraison.

Grâce à l'ordinateur Informex, cet objectif a été atteint. Avec, comme avantages :

- une grande facilité de mise en place ;
- le respect des habitudes de travail ;
- la possibilité pour plusieurs personnes d'interroger le système en même temps.

Maintenant :

- la facturation est faite le soir du dernier jour du mois ;
- le chiffre d'affaires du magasin a doublé, sans que les coûts soient augmentés pour autant ;
- le travail administratif du personnel est considérablement réduit et beaucoup plus agréable.

Quelle que soit votre activité, faites comme cette entreprise.

Consultez-nous !

ORDINATEURS ET ADMINISTRATION

Récemment, un ordinateur a remboursé un centime à un assuré social. Cet excès d'honnêteté a provoqué un éclat de rire général. En matière d'informatique administrative, les Français sont en effet très sensibles aux anomalies qui, pourtant, restent rares. Les responsables affirment même que, sans l'automatisation apportée par les ordinateurs, les problèmes seraient tellement importants que les caisses d'allocations familiales, par exemple, ne pourraient plus fonctionner.

Il n'en reste pas moins vrai que, aussi exceptionnelles soient-elles, les erreurs de l'informatique placent leurs victimes dans une impasse. Car aux guichets où elles s'adressent, on ne peut pas leur fournir d'explications.

Un exemple : en septembre 1977, M. X..., résidant en région parisienne, remplit un formulaire pour demander que ses allocations soient

versées directement à sa banque, et non plus à son domicile. Malheureusement pour lui, l'opératrice commet une erreur de frappe : l'ordinateur absorbe cette fausse donnée, et l'allocation de M. X... s'achemine vers une destination inconnue. Le dossier se perd, et ce n'est que 4 mois plus tard que M. X... peut enfin toucher ses allocations. Avant l'usage de l'informatique, l'erreur aurait pu être corrigée le jour même. Bien sûr, ce n'est pas l'ordinateur qui s'est trompé, son programme est bon. Cet incident est la conséquence d'une défaillance humaine — défaillance d'ailleurs bien compréhensible lorsqu'on pense que cette opératrice tape sur un clavier 8 heures par jour...

Mais peut-être l'administration devrait-elle justement prévoir dans ses programmes la possibilité d'une telle erreur...

L. L. - Andersson

L. L. - Andersson

Salle de central téléphonique.

Larousse

Salle d'ordinateur.

Larousse

3. Bricolage

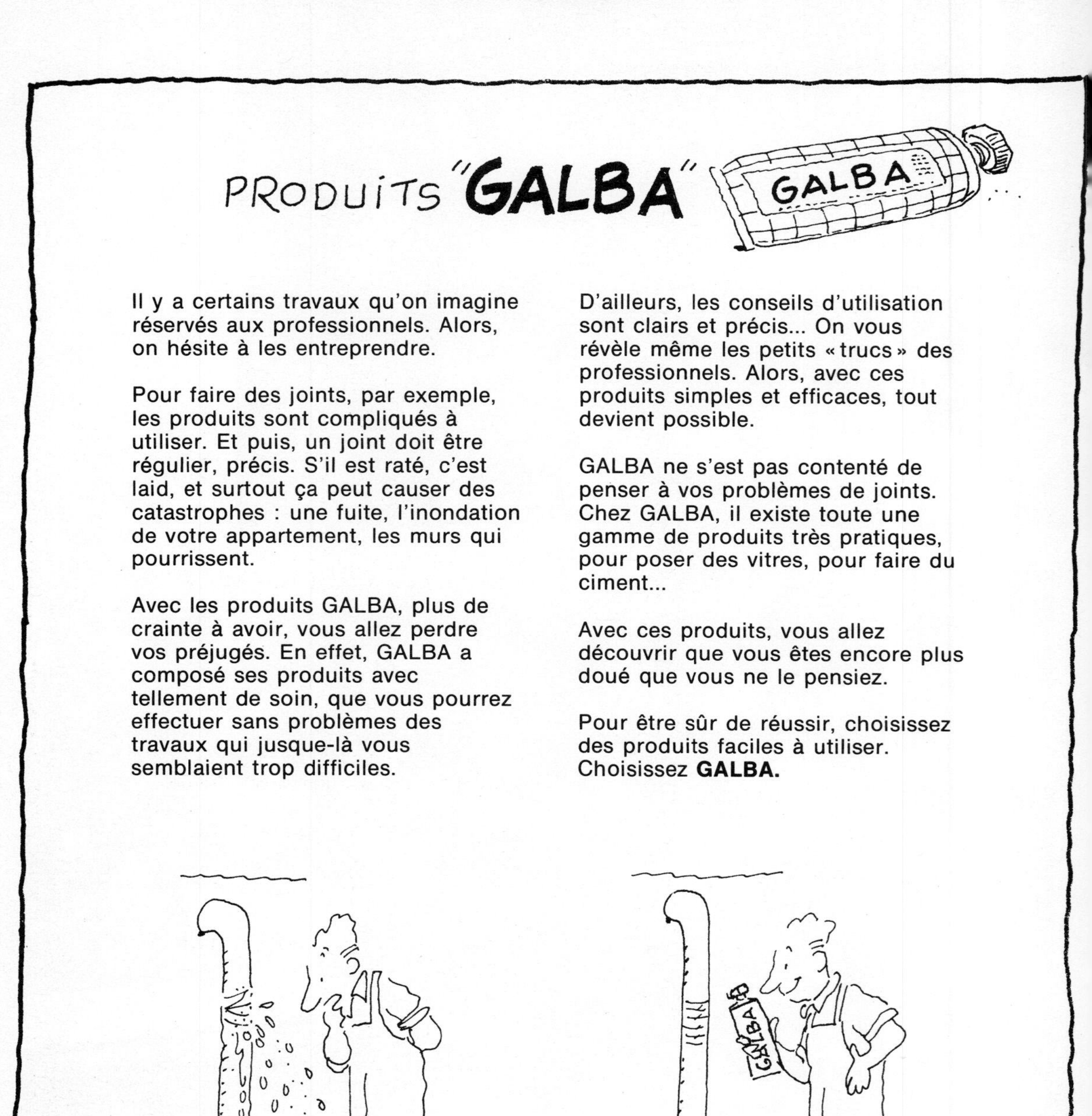

PRODUITS "GALBA"

Il y a certains travaux qu'on imagine réservés aux professionnels. Alors, on hésite à les entreprendre.

Pour faire des joints, par exemple, les produits sont compliqués à utiliser. Et puis, un joint doit être régulier, précis. S'il est raté, c'est laid, et surtout ça peut causer des catastrophes : une fuite, l'inondation de votre appartement, les murs qui pourrissent.

Avec les produits GALBA, plus de crainte à avoir, vous allez perdre vos préjugés. En effet, GALBA a composé ses produits avec tellement de soin, que vous pourrez effectuer sans problèmes des travaux qui jusque-là vous semblaient trop difficiles.

D'ailleurs, les conseils d'utilisation sont clairs et précis... On vous révèle même les petits « trucs » des professionnels. Alors, avec ces produits simples et efficaces, tout devient possible.

GALBA ne s'est pas contenté de penser à vos problèmes de joints. Chez GALBA, il existe toute une gamme de produits très pratiques, pour poser des vitres, pour faire du ciment...

Avec ces produits, vous allez découvrir que vous êtes encore plus doué que vous ne le pensiez.

Pour être sûr de réussir, choisissez des produits faciles à utiliser. Choisissez **GALBA.**

NOS GRANDS-MÈRES AVAIENT RAISON ! FAIRE TOUT SOI-MÊME À LA MAISON C'EST PLUS FACILE QUE VOUS NE LE PENSEZ

Alors, achetez l'« Encyclopédie du bricolage et de la vie pratique ».
Vous ne le regretterez pas. C'est tellement économique !

1. Les conserves, les confitures n'auront plus de secret pour vous.

2. Vous saurez faire les pâtés, les jambons, les saucissons.

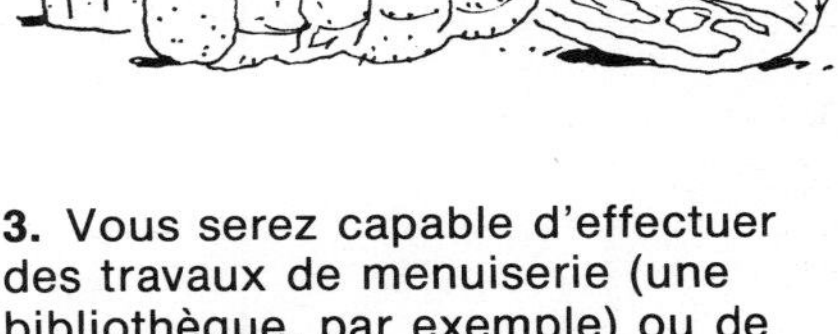

3. Vous serez capable d'effectuer des travaux de menuiserie (une bibliothèque, par exemple) ou de maçonnerie (un escalier, pourquoi pas !).

4. Vous pourrez élever des animaux : poules, canards, lapins.

5. Vous réaliserez des tapis, des sacs, des ceintures.

6. Vous fabriquerez vous-même vos shampooings...

RETROUVEZ LA QUALITÉ DE LA VIE
FAITES TOUT
RÉPAREZ TOUT
C'EST MIEUX, C'EST MEILLEUR ET C'EST MOINS CHER

L. L. - Andersson

L. L. - Andersson

L. L. - Andersson

L. L. - Charles

4. Artisanat : une mode ?

Mai 68 a provoqué en France une foule d'idées et de passions nouvelles, dont celle de l'artisanat. Le refus de la société de consommation et de la technologie a conduit bien des intellectuels à quitter leur cadre habituel, pour s'installer dans des granges abandonnées et revêtir l'uniforme du parfait artisan : pantalon de velours côtelé, pull en grosse laine, sabots... sans oublier la barbe ! Pour vivre, ils se sont mis à fabriquer des tapis, des vases, différents objets en terre ; ils ont même élevé des moutons, des poules... À tel point que dans la région de Toulouse, par exemple, une centaine de communautés se sont ainsi constituées.

Depuis, l'enthousiasme est un peu tombé. La plupart de ces « poètes » ont quitté leurs brebis, pour retrouver leur cravate et leur confort.

Faut-il en déduire que cette vogue était passagère ? Non, car elle correspond certainement à une nécessité profonde, dont les signes se manifestent encore aujourd'hui.

Beaucoup de citadins éprouvent périodiquement le besoin de redécouvrir des matériaux comme le bois, la terre, le verre, le cuivre, la laine... Ils viennent donc passer une partie de leurs vacances à proximité d'un atelier pour se familiariser avec ses activités.

Ce qui a donné à certains artisans l'idée d'organiser des stages :

« Nous recevions tellement de demandes, que l'idée nous est venue de consacrer une partie de notre temps à des stagiaires... »

Et tout le monde y gagne : les artisans trouvent là une nouvelle ouverture... et les citadins peuvent enfin satisfaire ce besoin de créer, que leur vie quotidienne contente si rarement...

13. POPULATION ET SOCIÉTÉ

1. Chômage et population

les prévisions pour les quarante années qui viennent

Les derniers chiffres de l'I. N. S. E. E., que ce soit en matière de chômage ou d'évolution démographique, n'incitent guère à l'optimisme. En effet, il ressort de ces chiffres que le chômage a augmenté de 21 % cette année, 226 900 demandeurs d'emploi étant venus s'ajouter aux 1 088 400 enregistrés l'an dernier à la même époque. D'autre part, le rapport entre catégories actives de la population et retraités, actuellement voisin de 2, risque de tomber au-dessous de 1 dans les quarante années qui viennent, du fait de la diminution des catégories actives.

En 20 ans, la composition de la population française s'est considérablement modifiée.

Entre 1954 et 1960, la scolarité s'est allongée, tandis que l'âge de la retraite a baissé : pour satisfaire les besoins de main-d'œuvre, il a fallu faire appel aux femmes et aux travailleurs immigrés. Entre 1962 et 1968, la population active s'est accrue, sans que le problème du chômage se pose encore. Ce n'est qu'à partir de 1973 que la courbe des demandeurs d'emploi s'est mise à augmenter, tandis que celle des offres diminuait. Si bien qu'en 1973,

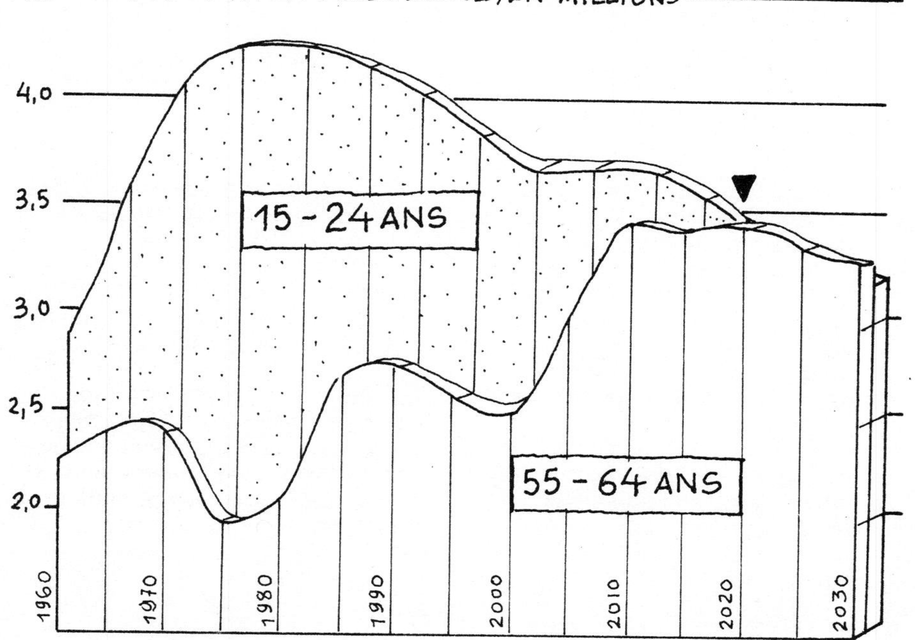

le marché du travail n'a pu absorber que 40 000 personnes, soit un cinquième du supplément de population. En 1975, on en était au sommet de la courbe des 15-24 ans, et au plus bas de celle des 55-64 ans. Pour une main-d'œuvre disponible très importante, on comptait peu de départs en retraite.

Il est probable que cette montée du chômage va s'aggraver dans les années qui viennent. On pense en effet qu'en 1983 la population active à la recherche d'un emploi devrait varier entre 1 620 000 et 1 774 000 personnes. Si la situation ne se modifiait pas, et si aucune mesure n'était prise, il est vraisemblable qu'en 1985 il y aurait entre 1 900 000 et 2 000 000 de chômeurs.

Ce n'est qu'entre 2015 et 2020 que les catégories 15-24 ans et 55-64 ans vont commencer à s'équilibrer. Mais les deux courbes vont ensuite se séparer : à partir de 2020, les personnes qui auront entre 55 et 64 ans seront plus nombreuses que celles qui auront entre 15 et 24 ans. Il y aura donc de moins en moins de jeunes pour compenser les départs en retraite, et de moins en moins de travailleurs pour assurer le financement de ces retraites...

D'après le Monde, *17 avril 1979.*

2. Les problèmes de natalité

La chute de la natalité en France se confirme : la population française n'assure plus le renouvellement des générations, et cette année le taux de fécondité est tombé à 1,80 (le plus bas que la France ait enregistré depuis la guerre).

Plusieurs facteurs expliquent ce phénomène : l'âge moyen du mariage s'élève. D'autre part, une fois mariés, les couples retardent l'arrivée de leur premier enfant : il semble qu'ils préfèrent privilégier la vie à deux, du moins pendant quelques années, ainsi que les loisirs, les relations sociales, et surtout la poursuite d'une double activité professionnelle.

Ce recul de la natalité a des conséquences irréversibles sur la vie du pays, et les pouvoirs publics s'émeuvent : d'après certains hommes politiques, il risque de ne plus y avoir suffisamment de jeunes pour assurer la retraite des personnes âgées. D'autre part une réduction trop forte de la population mettrait notre économie en danger.

Ces arguments ne sont sans doute pas très convaincants, et il faudrait situer le problème sur un autre plan, individuel et affectif.

Car les Français ne sont pas hostiles à l'idée d'avoir des enfants. Mais entre ce qui est raisonnable et ce qui serait idéal, il y a pour eux une différence, comme le montrent les réponses reçues aux deux questions suivantes :

Compte tenu des difficultés que vous pouvez rencontrer, quel est le nombre d'enfants qu'il vous paraît raisonnable d'avoir ?

Aucun	Un	Deux	Trois et plus	Ne savent pas
4 %	7 %	45 %	40 %	4 %

Quel est le nombre d'enfants que vous auriez souhaité avoir, dans l'idéal, si les contraintes matérielles n'existaient pas ?

Aucun	Un	Deux	Trois et plus	Ne savent pas
3 %	4 %	37 %	50 %	6 %

Sondage paru dans F. Magazine *n° 12 (janvier 1979).*

Les problèmes matériels jouent certainement un grand rôle dans les hésitations des couples. Il y a donc des mesures urgentes à prendre en faveur des familles nombreuses : il faudrait augmenter les allocations familiales, construire des crèches, des garderies...

Mais peut-être faudrait-il aussi une société plus accueillante. Jamais rien — équipements collectifs, espaces verts, loisirs — n'est pensé en fonction de la petite enfance. Alors peut-être certains parents attendent-ils un monde moins indifférent...

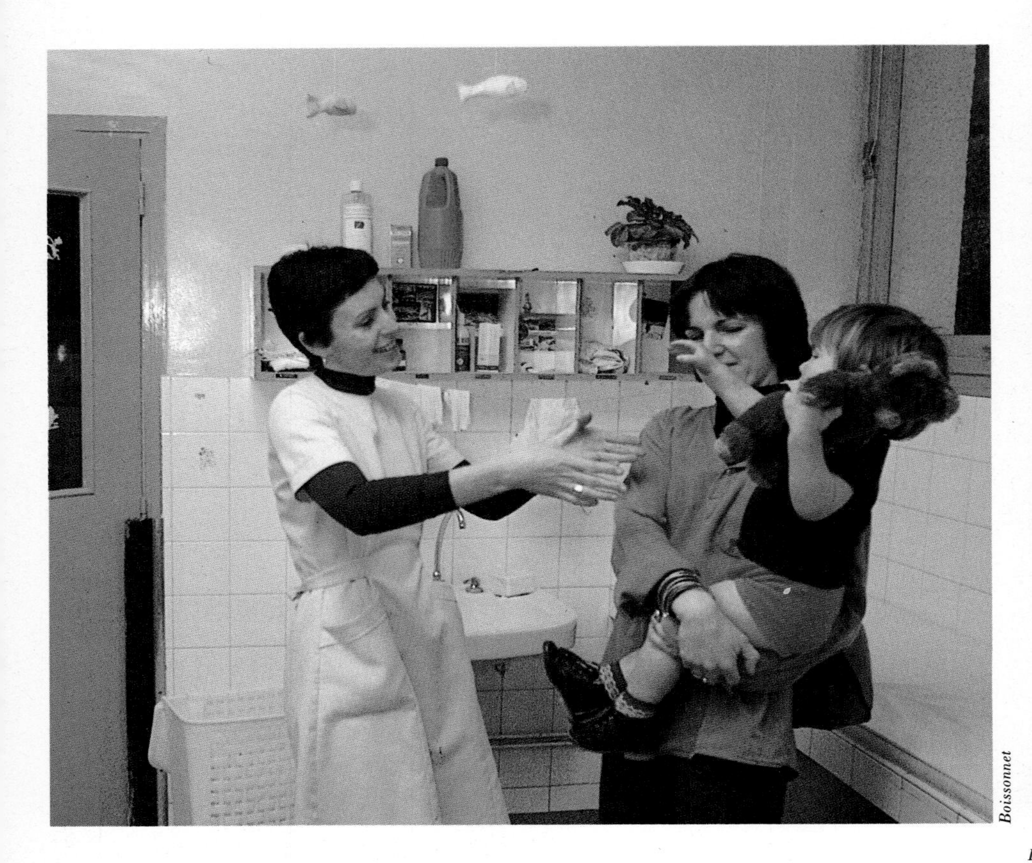

Boissonnet

L. L. - Andersson

Quartier en construction à Epinal.

L. L. - Andersson

L. L. - Andersson

3. Les travailleurs immigrés en France

La population étrangère s'élevait au 1er janvier 1978 à 4 236 994 personnes, dont 829 572 citoyens algériens, 696 517 originaires des états membres de la C. E. E.(1), 102 907 ressortissants de l'Afrique francophone, 98 538 asiatiques et 3 889 apatrides. Au total, les étrangers représentaient plus de 7,5 % de la population du pays.

Leur présence en France pose certains problèmes et il est bien connu que l'immigration a donné lieu à de nombreux abus.

Les étrangers jouent souvent le rôle de « bouche-trou » dans l'économie française. Quand la conjoncture est bonne, on fait appel à eux, pour réduire l'« arrivage » ensuite. D'autre part, ils exercent en général les professions les plus difficiles et les plus mal payées, celles dont les Français ne veulent pas.

Quant aux conditions de travail, elles ont été longtemps scandaleuses : surcharges horaires, fraudes au niveau des salaires, absence de sécurité. Mais c'est en ce qui concerne l'hébergement que l'exploitation est la plus évidente. Certains « marchands de sommeil » n'hésitent pas à entasser dix ou quinze immigrés dans deux pièces insalubres, en prélevant des loyers exorbitants.

Certes, depuis quelques années, on a pris conscience du scandale. Le patronat, l'État, les syndicats essaient de reprendre la situation en main et de donner aux immigrés les mêmes droits qu'aux travailleurs français. C'est pourquoi, bien que les conditions de vie soient encore loin d'être satisfaisantes, on peut espérer des améliorations dans ce domaine.

Malheureusement, le problème ne se pose pas seulement en ces termes. La recrudescence du chômage fait apparaître des réflexes xénophobes. Certains éléments de la population se demandent s'il ne serait pas temps d'examiner de plus près la situation des travailleurs étrangers. Puisque le nombre des emplois diminue, ne conviendrait-il pas de les attribuer en priorité aux travailleurs français, quitte à renvoyer chez eux les étrangers ?...

Et de fait, si la clandestinité ne permet pas de déterminer avec précision le nombre d'étrangers qui travaillent en France, on peut estimer que ce nombre est très important, et qu'il justifie la préoccupation des pouvoirs publics. Néanmoins, on ne peut que regretter la maladresse de certaines attitudes gouvernementales. M. X..., secrétaire d'État, avait ainsi jugé bon d'annoncer, il y a quelques mois, la suspension pour 3 ans de l'immigration familiale. Cette mesure, vivement contestée par les syndicats et les partis politiques de gauche, a finalement été atténuée. Seul le droit au travail — mais non pas au séjour — a été suspendu pour les familles venues rejoindre des travailleurs immigrés...

(1) Communauté économique européenne.

L. L. - Andersson

Quartier des banques à Lyon.

L. L.

L. L. - Charles

L. L.

PARIS
DÉMÉNAGEMENTS
DE BUREAUX
BORDEAUX

4. La décentralisation

La France, comparée aux pays voisins (l'Espagne exceptée) a longtemps fait figure de pays sous-peuplé. C'est aussi le pays européen où la population est la plus mal répartie; un Français sur six vit dans la région parisienne, qui regroupe 10 fois plus d'habitants que la plus importante ville de province, Marseille.

Cet état de fait ne date pas d'aujourd'hui : depuis toujours, les hommes qui administrent, qui gouvernent ou qui ont un quelconque pouvoir de décision sont concentrés dans la capitale...

Et voilà plusieurs années déjà que la croissance de Paris est ressentie comme une menace : menace pour la capitale elle-même, qui doit cesser de s'étendre, sous peine d'asphyxie; menace pour les régions qui, si elles veulent survivre, ne doivent pas dépendre uniquement de Paris mais exploiter leurs propres ressources.

Il est donc nécessaire de décentraliser les usines et les bureaux, de développer les capitales régionales et les villes moyennes.

Plusieurs organismes ont été chargés de mettre en œuvre ces réformes, en particulier la D. A. T. A. R.[1] et la F. I. A. T.[2].

---

(1) Délégation à l'aménagement du territoire et à l'action régionale.

(2) Fonds d'intervention pour l'aménagement du territoire.

Depuis leur création, il s'est produit un certain nombre de changements dans la géographie économique du pays. La D. A. T. A. R. a déjà multiplié les contrats d'implantation entre l'État et les entreprises; celles-ci devront étudier avec les pouvoirs publics les conditions de répartition des activités entre Paris et la province.

Il existe ainsi des accords entre l'État et le Crédit Lyonnais, l'Union des assurances de Paris, et des firmes industrielles comme Renault. Un exemple : le secteur bancaire à Lyon. Certes, d'une banque à l'autre, l'organisation régionale et le degré de décentralisation varient, mais le processus est bien amorcé. Il est rare, désormais, qu'on fasse « monter » des dossiers dans la capitale... D'autre part, la décentralisation demandant une formation permanente sur place, il s'est créé à Lyon même un centre de formation et de perfectionnement bancaire...

Mais il importe que cette évolution reste prudente : le risque permanent, c'est un alourdissement des structures, qui, dans ce cas précis, déboucherait sur une augmentation du coût du crédit.

D'après les régions intéressées elles-mêmes, la décentralisation ne doit pas nuire à l'efficacité des organismes et des entreprises concernés. C'est à cette condition seulement que la régionalisation prendra tout son sens...

14. LOISIRS ET CULTURE

1. Le festival d'Avignon

Cette année encore, Avignon se prépare pour la grande fête de l'été : le soleil est déjà chaud. Les chaises et les fauteuils des terrasses de café attendent. Le bureau du festival s'anime, et les organisateurs sont débordés.

Depuis avril 1947, la même expérience se renouvelle tous les ans dans la ville provençale, d'abord sous l'impulsion de Jean Vilar, créateur du festival, puis de différents organisateurs, dont les souhaits sont comblés. Le prix des places, l'atmosphère de fête, les représentations en plein air, la multiplication des spectacles, les débats, les contacts ont attiré un public énorme...

Les personnalités les plus célèbres du monde du théâtre et de la danse viennent apporter leur contribution.

En 1967, c'est le cinéma qui a fait son entrée, puis la musique. Et, en 1978, le festival a pris une dimension internationale, le nouvel organisateur ayant voulu ouvrir ses portes aux autres pays : la Belgique, le Canada, l'Allemagne, les États-Unis y étaient présents...

À côté des auteurs reconnus (Molière, Shakespeare, etc.), le festival donne leur chance aux jeunes auteurs : on les joue, quelquefois sans décors ni costumes, on les discute le temps d'une soirée, d'une saison, ou peut-être plus.

Vingt-six lieux différents sont utilisés pour les spectacles : vieux hôtels, places, squares.

Tout un public divers fait de jeunes, d'habitants de la région, de Français des classes moyennes, d'étrangers en vacances, vient trouver ici une atmosphère irremplaçable...

En 1975, il y a eu 150 000 spectateurs pour 331 représentations, auxquelles sont venus s'ajouter les 140 spectacles de 50 petites troupes installées sur les pavés des carrefours de la ville ou dans sa périphérie. Le bureau du festival est assiégé de demandes et la ville est actuellement arrivée à son degré de saturation pour accueillir les artistes et le public.

Grâce au festival, la région a trouvé son épanouissement culturel : elle possède désormais cinquante troupes dramatiques, dont deux sont en permanence à Avignon.

Le festival d'Avignon, c'est vraiment la chance de la région...

2. La bande dessinée

Considérée jusqu'à une époque récente comme une forme mineure de la création artistique, la bande dessinée est aujourd'hui de plus en plus appréciée du public : des millions d'enfants et d'adultes en lisent régulièrement, les professeurs en tiennent compte dans leurs cours, les linguistes en font même parfois un sujet de recherche...

En France, elle est née avec le XXe siècle. Les aventures de la famille Fenouillard, du savant Cosinus, de Bécassine ou des Pieds Nickelés ont longtemps réjoui les écoliers français.

Mais ces personnages, dont beaucoup d'adultes se souviennent encore, se sont ensuite effacés devant les bandes dessinées américaines et belges, qui ont rapidement monopolisé le marché. Il a fallu attendre 1949 pour qu'une loi restreigne les importations dans ce domaine, et permette aux créateurs français de s'exprimer à nouveau...

Aux hebdomadaires publiant surtout des bandes dessinées importées (comme « Mickey », « Spirou », « Tintin »), se sont donc joints d'autres périodiques comme « Pilote », « Pif », etc.

À partir de 1960, les bandes dessinées connaissent un succès grandissant : publiées d'abord en feuilleton dans des périodiques, elles sont ensuite réunies en albums. Un exemple : « Astérix », dont les vingt-deux premiers albums, vendus à cinquante-cinq millions d'exemplaires, ont été

traduits en seize langues.
Le dernier album, paru après la mort d'un des créateurs, s'est vendu à plus d'un million d'exemplaires le jour même de sa parution !

La vocation première de la bande dessinée, c'est bien entendu de distraire et d'amuser par son humour et par ses gags. Mais en s'adressant à des adultes, elle tourne souvent à la critique sociale ou politique : dès 1970, Cabu, Reiser, Brétécher et bien d'autres font, chacun dans son style et avec sa sensibilité, la caricature de la société française.

Phénomène révélateur : aujourd'hui, presque tous les quotidiens consacrent une place à la bande dessinée. Quant à la publicité, elle en tire largement parti : une grande marque de voitures françaises vante ainsi les mérites de ses véhicules par la voix... de Tintin. Et on ne compte plus les produits commerciaux qui ont exploité le personnage d'Astérix...

La bande dessinée a même des ambitions éducatives, tel cet album intitulé « Opération Platon, les Télécommunications en bandes dessinées ». D'autre part, une maison d'édition vient de faire paraître une « Histoire de France en bandes dessinées » qui semble connaître un gros succès populaire. Enfin, quelques professeurs exploitent l'originalité et la fantaisie de certaines « B. D. » pour aborder des sujets sérieux tout en restant proches de l'univers de leurs élèves.

L. L. - Andersson

L. L. - Andersson

L. L. - Andersson

Le festival d'Avignon.

L. L.

Quimper :
les fêtes de Cornouailles.

Bayonne :
courses de vaches landaises.

L. L.

3. Les prix littéraires

En France, 1 500 prix littéraires sont décernés chaque année par des académies ou jurys divers. Les plus connus sont le prix Goncourt, le prix Fémina, le prix Renaudot, le prix Interallié.

Pendant trois semaines, un certain nombre de personnalités du monde littéraire étudient les œuvres qui leur sont proposées, et débattent pendant quelques heures, souvent houleuses, du sort d'une poignée d'auteurs.

Car l'enjeu est important : sans compter le montant de la récompense, un grand prix assure à son auteur un tirage important, jusqu'à 800 000 exemplaires pour le prix Goncourt 1975.

Qui sont les cinquante juges auxquels incombe la lourde responsabilité de choisir un lauréat, et d'en écarter d'autres, probablement très méritants?

Leur âge ? 60 ans en moyenne. Leur profession ? Si tous ne sont pas écrivains, presque tous font partie du monde littéraire, comme journalistes, critiques, professeurs, traducteurs.

La bataille des prix littéraires fait « couler beaucoup d'encre » chaque année : on accuse les jurys de ne pas être objectifs, de subir avec complaisance certaines influences, en particulier celle des éditeurs, qui ont beaucoup à gagner... ou à perdre dans cette affaire.

Il serait bien entendu naïf de prétendre qu'il n'y a pas de groupes de pression dans le monde de la littérature : pressions financières certes (encore que, à ce compte, beaucoup d'académiciens auraient dû faire fortune ; or certains d'entre eux ont terminé leur vie dans un état proche de la pauvreté) ; pressions idéologiques et politiques aussi, mais l'objectivité totale est-elle possible dans ce domaine ?

Et puis, même si le meilleur ne l'emporte pas toujours, les jurys ont souvent récompensé des œuvres que le public a par la suite adoptées sans hésiter.

L. L.

Le musée du Louvre.

L. L. - Barzi

L. L. - Andersson

Beaubourg.

L. L.

4. Beaubourg

Le 31 janvier 1977, le président de la République a inauguré le Centre culturel Georges Pompidou, Beaubourg pour la plupart des Parisiens.

Avant même de commencer à fonctionner, le Centre a suscité bien des débats ; il faut reconnaître qu'il ne peut laisser indifférent : on est forcément pour ou contre.

Beaubourg, c'est d'abord un bâtiment énorme : 42 mètres de haut, 166 m de long, 60 m de large.

Une structure en acier, des parois de verre, des ascenseurs, des escaliers mécaniques, des tubes verts, bleus, blancs...

Pour assurer son fonctionnement, il ne faut pas moins de trente centrales de traitement d'air, quatre chaudières, trois groupes frigorifiques... et, pour gérer le tout, un système informatique qui n'a d'équivalent nulle part ailleurs.

Quant au nettoyage, il coûte 300 millions de centimes par an...

Beaubourg compte quatre grands secteurs :

- le musée national d'Art Moderne ;
- la bibliothèque publique d'information ;
- l'Institut de recherche musicale ;
- le Centre de création industrielle.

Le musée organise un certain nombre d'expositions. Beaubourg voulant assumer sa vocation de musée d'avant-garde, les visiteurs restent parfois perplexes lorsque, à côté de valeurs reconnues, on leur présente des boîtes de jus de tomate ou de lessive, ou des tuyaux de poêle cloués sur des tableaux. Bien sûr, il ne faut pas passer « à côté de son temps » et négliger des artistes qu'on reconnaîtra peut-être plus tard. Mais on peut se demander si c'est là la meilleure manière d'attirer le public populaire que Beaubourg prétend viser.

Par contre, la bibliothèque connaît un succès mérité. Elle offre une foule de possibilités, aussi bien aux étudiants qu'aux autres usagers, qui ne peuvent accéder aux autres bibliothèques spécialisées. En effet, l'entrée y est libre.

L'Institut de recherche musicale, lui, dispose d'une salle révolutionnaire, à l'avant-garde de l'architecture.

Quant au Centre de création industrielle, il s'occupe surtout d'urbanisme, et de tout ce qui concerne les équipements et les espaces publics. Ses expositions, comme « le temps des gares », ont connu un vrai succès populaire.

Un an après son inauguration, Beaubourg avait déjà accueilli plus de 6 millions de visiteurs, soit autant que le Louvre et la tour Eiffel réunis... Et les responsables n'ont pas manqué de s'en féliciter. Mais il faut bien dire qu'à côté des amateurs d'art, Beaubourg attire aussi beaucoup de curieux.

Alors, gaspillage, ou gros succès populaire ? La question reste posée.

lexique

1. Petite enfance

1. L'école maternelle en France

enseignement. Elle était professeur mais elle a abandonné l'enseignement, et maintenant elle travaille dans une banque.

obligatoire. Tous les Français doivent mettre une ceinture de sécurité quand ils conduisent; c'est obligatoire en France.

populaire. On n'aime pas beaucoup un gouvernement qui augmente les impôts; il n'est pas populaire.

se rendre compte de = s'apercevoir de.
Je n'avais pas ma carte d'identité, je m'en suis rendu compte quand on me l'a demandée.

importance. Ça n'a pas d'importance. = Ce n'est pas important.

s'exprimer. Il s'exprime bien. = Il parle bien; il sait bien se faire comprendre.

vocabulaire. Mon fils n'a pas beaucoup de vocabulaire; il sait seulement dire « papa », « maman », et c'est tout!

réfléchir. Quand on vous montre un appartement, ne l'achetez pas trop vite; prenez plusieurs jours pour y penser, pour réfléchir.

au contraire.
— J'ai l'impression que tu t'énerves!
— Mais non, je suis très calme au contraire.

participer à. Pierre n'a pas pu participer à la promenade. = Pierre n'a pas pu aller en promenade avec les autres.

conversation. J'ai eu une longue conversation avec Roland : nous avons parlé pendant plus d'une heure.

imagination. Ses lettres sont toujours aussi banales; il manque vraiment d'imagination.

2. Pour ou contre l'école le samedi matin?

un petit mot = une lettre très courte.

supprimer. L'entreprise Balin va supprimer des emplois : 110 ouvriers vont être licenciés à la fin du mois.

traditionnel. Comme toujours, ils nous ont invités à leur traditionnel repas de Noël.

entier, entière. J'ai attendu sa lettre une semaine entière (= toute une semaine) et je n'ai rien reçu.

avoir de la chance.
— J'ai trouvé un appartement, grand, pas cher, près de mon bureau!
— Tu as vraiment de la chance! C'est difficile.

mine. Claire n'a pas bonne mine, elle est peut-être malade.

magnifique = très beau.
Il fait un temps magnifique aujourd'hui!

découvrir = trouver.
Des bâtiments agricoles ont été détruits par un incendie, près d'Agen. On n'a pas encore découvert le coupable.

décontracté = qui n'est pas énervé.

accuser. Didier X... vient d'être arrêté; on l'accuse d'avoir tué sa femme.

plaisir. Elle ne pense qu'à son plaisir. ≃ Elle ne pense qu'à ce qui est agréable pour elle.

intérêt. Travaille, c'est dans ton intérêt : ça te sera utile plus tard.

négatif. La réunion a été négative : les syndicats n'ont rien obtenu.

reporter. La séance n'aura pas lieu aujourd'hui; elle est reportée à demain.

si bien que. Il ne se repose jamais, si bien qu'il est épuisé. = Il est épuisé parce qu'il ne se repose jamais.

de suite. Il est sorti trois jours de suite : lundi, mardi et mercredi.

se détendre. Après une journée au bureau Philippe est énervé, il va marcher une demi-heure pour se détendre.

soirée ≃ soir.

devoir. Le professeur de français a donné un devoir à faire pour demain (= un travail à faire à la maison).

3. Conseils du Centre national de la protection de l'enfance

protection. La ceinture de sécurité est un moyen de protection pour l'automobiliste s'il a un accident. = La ceinture de sécurité protège l'automobiliste s'il a un accident.

destiné à = pour.

courir un danger. En faisant leur travail, les pompiers courent beaucoup de dangers : ils risquent souvent leur vie.

en cas de. En cas d'incendie, appelez les pompiers. = S'il y a un incendie, appelez les pompiers.

élémentaire. Savoir lire et écrire, c'est élémentaire : c'est la première chose qu'on apprend à l'école.

attirer. La Corse attire beaucoup de monde : beaucoup de gens rêvent d'y passer leurs vacances.

ressembler à. Catherine ressemble à sa mère : elle est blonde et grande comme elle.

imiter. Imiter quelqu'un = faire la même chose que quelqu'un.

se méfier de. Aujourd'hui les consommateurs ne croient plus tout ce que dit la publicité ; ils s'en méfient.

il suffit que. Il suffit qu'il entende un nom, et il s'en souvient.

légèrement.
— Paul a eu un accident.
— C'est grave ?
— Non, il a été légèrement blessé, c'est tout.

4. Un rayon de soleil sur les panneaux électoraux !

élection. En France, l'élection du président de la République a lieu tous les 7 ans. = Tous les 7 ans, les Français choisissent le président de la République.

électeur. On est électeur à partir de 18 ans. = On peut participer à une élection à partir de 18 ans.

habituellement = d'habitude.

fois.
— C'est la première fois que vous allez à Malte ?
— Non, j'y suis déjà allée l'année dernière.

la prochaine fois = la fois d'après.

confier. Ne gardez pas votre argent sur vous : confiez-le à la banque, c'est plus sûr...

thème = sujet.

nature ≃ les arbres, les fleurs, les animaux...
Il aime la nature et il n'est pas heureux en ville.

malgré. Elle a beaucoup travaillé, mais malgré cela, elle n'a pas été reçue à son examen.

commune. Il y a à peu près 40 000 communes en France. Il y a un maire dans chaque commune.

œuvre. Ce tableau est l'œuvre de Picasso. = C'est Picasso qui a peint ce tableau.

jury = groupe de plusieurs personnes qui examinent une œuvre et qui choisissent la meilleure.

composé de = fait de.

artiste. Rembrandt, Beethoven sont de grands artistes.

peintre. Picasso est un peintre connu.

poète. Victor Hugo, Jacques Prévert sont ses poètes préférés.

offrir une récompense. Si Nicolas est reçu à son examen, son père lui offrira un voyage : ce sera une belle récompense pour son travail.

2. Santé

1. Bilan de santé

bilan. Faire le bilan = essayer de savoir quel est l'état de quelque chose (santé, entreprise, etc.).

faire le point = faire le bilan.

assuré = celui qui a pris une assurance.

subir = être l'objet de.
Subir un examen = passer un examen.

en général = le plus souvent.

à votre arrivée = quand vous arriverez.

en détail = de façon très précise.

signe. Les nuages sont en général un signe de mauvais temps.

inquiétant. Je trouve son état très inquiétant. = Son état me donne beaucoup d'inquiétude.

complémentaire. Pour cet achat, vous payez une certaine somme maintenant, et la somme complémentaire en 12 mois (= et le reste en 12 mois).

lorsque = quand.

prié de. Vous êtes prié de donner votre nom. ≃ On vous demande de donner votre nom.

2. La campagne « anti-tabac »

se porter bien = être en bonne santé.

rythme.
— Quel est votre rythme de travail ?
— Je travaille deux jours, et puis je m'arrête une journée.

d'ailleurs. Notre agence est sérieuse. D'ailleurs, tous ceux qui la connaissent vous le diront.

inattendu = qu'on n'attendait pas.

vanter. Elle vante toujours son fils : elle dit qu'il a toutes les qualités.

mérite. Elle a beaucoup de mérite : elle travaille beaucoup, elle s'occupe de ses enfants, elle s'occupe aussi des personnes âgées.

interdiction = le fait d'interdire.

état d'esprit.
— Quel était son état d'esprit quand il vous a reçu ?
— Il paraissait assez favorable à ce que nous demandions.

anecdote = petite histoire.

infliger une amende = condamner à payer une certaine somme.

accorder = accepter de donner.

dommages et intérêts = somme que l'on paie à quelqu'un quand on lui a fait du tort.

3. Interview du ministre de la Santé

projet.
— Vous avez des projets pour les vacances ?
— Oui, nous avons l'intention d'aller à Malte.

lancer une campagne = commencer à mener une campagne (publicitaire, électorale, etc.).

préférable. Il est préférable de = il vaut mieux.

se déclarer. L'incendie s'est déclaré à 11 h. = L'incendie a commencé à 11 h.

guérir. Il a été malade 15 jours, mais maintenant il est guéri : il va mieux.

traitement. Le médecin m'a donné un traitement ; je dois prendre deux cachets matin et soir pendant dix jours.

tarder à. Vous venez d'avoir un accident de voiture ? Ne tardez pas à prévenir votre assurance (= prévenez votre assurance rapidement).

consulter = aller voir (un médecin, un avocat,...) pour demander un conseil.

se servir de = utiliser.

compter = avoir l'intention de.

intervenir. Il y a eu un incendie place Pasteur. Heureusement les pompiers sont intervenus très vite, et ils ont pu éteindre le feu aussitôt.

sévèrement = de façon très sévère.

il est question que. Il est question que son entreprise déménage. ≃ On dit que son entreprise va peut-être déménager.

effectivement. Tout le monde disait qu'il arriverait en retard, et effectivement il a eu deux heures de retard.

contester. L'accusé conteste les renseignements donnés par les témoins. = L'accusé prétend que les renseignements donnés par les témoins sont faux.

utilité. Vos conseils me sont d'une grande utilité. = Vos conseils me sont très utiles.

possibilité. Vous déménagez ? Vous avez plusieurs possibilités : vous pouvez utiliser votre voiture, louer un camion ou appeler une entreprise de déménagement.

usage.
— Quel usage comptez-vous faire de cet argent ?
— J'ai l'intention d'acheter un appartement.

efficace = qui donne de bons résultats.

suspect. Cet individu paraît suspect : on pense que c'est peut-être lui le coupable.

cesser de.
— Votre femme travaille toujours ?
— Non, elle a cessé de travailler il y a 2 mois.

faire confiance. C'est difficile de lui faire confiance, elle a déjà trompé tellement de gens !

domaine.
— Dans quel domaine travaillez-vous ?
— Je m'occupe de publicité.

alors que. Monique regarde la télévision, alors que Marie fait son travail. = Monique regarde la télévision ; Marie, elle, fait son travail.

4. Les médecins, futurs chômeurs ?

chômeur = personne qui n'a pas de travail.

former. Dans cette école de commerce, on forme très bien les élèves : on leur apprend bien leur métier.

croissance = augmentation.

massif, massive = très important.

considérer comme. On le considère comme le meilleur médecin de la région. = On estime que c'est le meilleur médecin de la région.

salariat = état de celui qui reçoit un salaire.

honoraires = ce que gagne un médecin privé, un avocat...

incertain = qui n'est pas sûr.

récemment = il n'y a pas longtemps.

ignorer = ne pas savoir.

politique. Ce professeur note toujours sévèrement ; c'est sa politique.

sélection = le fait de choisir entre plusieurs objets, plusieurs personnes.

rentrée = moment où les cours recommencent.

suggérer.
— On sort ce soir ?
— D'accord. Qu'est-ce que tu suggères ?
— Je te propose d'aller au cinéma...

compétence. Il n'a aucune compétence. = Il ne sait rien faire ; il n'y connaît rien.

stage = période d'études pratiques.

confrère = personne qui fait le même métier (pour les médecins, les avocats, les journalistes, etc.).

souhaitable. Il est souhaitable de = il serait bon de.

répartition. Il s'occupe de la répartition du travail entre les ouvriers : c'est lui qui dit à chacun ce qu'il doit faire.

alourdir = rendre plus lourd.

tâche = travail.

devenir. Il devient plus sérieux. = Il commence à être plus sérieux.

3. La femme

1. Portraits

opinion = ce qu'on pense.

fréquemment = souvent.

roman. Balzac, Flaubert ont écrit des romans.

dégager. Dégager un portrait ≃ faire un portrait.

type = qui représente bien quelque chose.
Homme type = homme qui représente l'ensemble des hommes.

imaginer = avoir dans l'esprit, dans l'imagination.

généralement = la plupart du temps.

sens. Il a vraiment le sens du commerce : c'est un bon commerçant.

organisation = le fait d'organiser.

avoir le goût de = aimer.

risque = danger.

parfois = quelquefois.

cynique. Il trompe tout le monde, et il s'en vante. Il est vraiment cynique.

égoïste. Il est égoïste : il ne pense vraiment qu'à lui.

franc = qui ne ment pas, qui dit des choses vraies.

sincère = qui pense vraiment ce qu'il dit.

intellectuel = qui concerne l'esprit.

aptitude. Votre fils n'a aucune aptitude pour le dessin, il ne réussira jamais à bien dessiner.

capricieux, -euse. Pierre devient capricieux : il n'obéit plus, il veut toujours qu'on lui achète quelque chose.

bavard = qui parle beaucoup.

étourdi = qui ne fait pas attention, qui oublie tout.

curieux, -euse = qui veut tout savoir, quelquefois même ce qui ne le concerne pas.

superficiel. Elle ne pense qu'à ses robes, à ses sorties, jamais au travail ou aux choses sérieuses ; elle est vraiment superficielle.

intuitif = qui connaît quelque chose sans se servir du raisonnement.

2. Les femmes cadres

se dissimuler. Il ne faut pas se dissimuler ces faits. = Il faut accepter de voir ces faits tels qu'ils sont.

responsabilité. Un directeur d'entreprise a beaucoup de responsabilités : c'est lui qui doit faire marcher l'entreprise et s'occuper du personnel.

ingénieur = personne qui organise des travaux, qui fait des plans dans une entreprise.

indice = preuve, signe.

révélateur = qui montre quelque chose de façon très claire.

nécessiter. Ce travail nécessite un nombre d'heures important. = Ce travail demande un nombre d'heures important.

féminin = qui concerne la femme.

justement.
— Je cherche Marie. Tu ne l'as pas vue ?
— Si, justement, je viens de la rencontrer.

reconnaître. Je n'étais pas d'accord avec toi, mais je reconnais maintenant que ton point de vue était le bon.

des qualités équivalentes = presque les mêmes qualités.

efficacité = le fait d'être efficace.

argument. Il a trouvé un bon argument pour ne pas travailler ; il prétend qu'il est malade.

en leur faveur = pour elles.

disponible = qui a assez de liberté pour faire ce qu'on lui demande.

en particulier = surtout.

se déplacer = aller dans un autre endroit.

élever. Je travaille, alors c'est ma mère qui élève mes enfants ; elle s'occupe d'eux toute la journée.

incontestable = qu'on ne peut pas contester.

diplôme = ce qu'on obtient à la fin des études, quand on a été reçu à tous ses examens.

exister. Il n'existe pas de magasin dans cette rue. = Il n'y a pas de magasin dans cette rue.

3. Jouets de garçons... jouets de filles

au foyer = en famille, à la maison.
Une femme « au foyer » est une femme qui ne travaille pas à l'extérieur de chez elle.

tandis que = alors que.

professionnel, -elle = qui concerne une profession.

époque = temps.

éveiller. (En parlant d'un sentiment, par exemple.)
La façon d'agir de cet individu a éveillé l'attention de la police.

habileté manuelle = aptitude à réussir beaucoup de travaux manuels.

stimuler. Il a réussi à son premier examen ; ça l'a beaucoup stimulé, et maintenant il a envie de continuer ses études.

fidèle = qui reste attaché à quelqu'un ou à quelque chose.

présent. Tous les élèves étaient présents. = Il ne manquait aucun élève.

charme. Je trouve que cette femme a du charme ; elle me plaît beaucoup.

occupation. Elle ne manque pas d'occupations ! la cuisine, le ménage, les enfants... et son travail !

4. Les Françaises sont-elles « féministes » ?

féministe = qui protège les intérêts des femmes.

à propos de = au sujet de.

avoir tort.
— Vous ne prenez pas de ce gâteau ?
— Non merci.
— Vous avez tort ! Vous devriez en prendre, il est très bon.

ennuyeux = qui n'est pas intéressant.

anormal = qui n'est pas normal.

véritable = vrai.

avoir raison.
— Elle dit que Paul ne pense qu'à lui.
— Elle a raison ; il est vraiment égoïste.

dévoué. C'est une secrétaire très dévouée : elle ne refuse jamais le travail qu'on lui propose, elle est toujours prête à rendre service.

réaction = façon de réagir.

attitude. Je n'aime pas du tout son attitude en classe ; il a toujours l'air de s'ennuyer, il n'écoute pas.

faciliter = rendre plus facile.

manière = façon.

choquer. Je trouve ça scandaleux ! Ça me choque vraiment.

rarement = pas souvent.

pendant que = quand.

du moment que = si.

revenu = argent gagné.

comparable = qu'on peut comparer.

admettre = accepter.

provisoire = qui ne dure pas longtemps.

être libre de = avoir le droit de ; pouvoir.

opposé à ≠ favorable à.

ridicule = drôle, bizarre.
Ne mets pas cette robe, elle est trop petite : tu seras ridicule !

4. Urbanisme

1. Les tours

univers = ensemble des gens, des objets au milieu desquels se trouve quelqu'un.
Ses parents, un ou deux amis, quelques livres, c'est tout son univers.

assistant, assistante = personne qui aide quelqu'un dans son travail.
Le médecin n'était pas là, c'est son assistante qui m'a reçu.

apprécier = aimer.

hectare. Un hectare (1 ha) = 10 000 m^2 (100 m × 100 m).

de luxe = très cher, et pas toujours nécessaire.
Elle gaspille : elle achète toujours des objets de luxe.

réussite.
— Ce film est parfait !
— Oui, c'est vraiment une réussite.

ailleurs = dans un autre endroit.
— Je n'aime pas le quartier où j'habite.
— Installe-toi ailleurs ! Il y a d'autres quartiers dans Paris !

spacieux = grand (en parlant d'une maison, d'une pièce...).

rationnel = bien organisé.

air climatisé = air qui circule dans une pièce pour garder la même température.

disparaître = ne plus exister.

avis.
— Le quartier est agréable.
— Ce n'est pas mon avis ! Au contraire, je le trouve triste.

partagé. Les avis sont partagés. Les uns trouvent le quartier agréable, d'autres ne l'aiment pas.

ravi = très content.

aussitôt que = dès que.

bientôt = dans peu de temps.

aîné = le plus âgé (en parlant des enfants d'une même famille).

impôts locaux = impôts qu'on paie à la commune et non à l'État.

à proximité de = près de.

2. Interview d'un architecte

aménagement.
— Vous êtes contente de l'aménagement de votre cuisine ?
— Oui, elle est très bien installée. Il y a vraiment tout ce qu'il faut.

fou ≠ raisonnable.

doubler. Mon salaire a doublé en 5 ans : je suis passé de 3000 F à 6000 F par mois.

siècle. Le 20e siècle va de 1900 à 2000.

avenir = la période à venir ; le futur.
Ses parents pensent beaucoup à son avenir ; ils voudraient qu'il ait une bonne situation.

anarchie. Dans cette agence, il n'y a aucune organisation : c'est vraiment l'anarchie !

bâtir = construire.

n'importe où = à un endroit ou à un autre, sans choisir l'endroit qui convient.

selon vous = d'après vous.

esclave de = qui dépend trop de quelqu'un ou de quelque chose.

là-dessus = sur ce sujet.

doute. Il n'y a aucun doute. = C'est sûr.

commun. Les deux frères sont blonds, c'est tout ce qu'ils ont de commun. Autrement, ils ne se ressemblent pas du tout.

grand-chose.
— Vous avez bon appétit ?
— Non, je ne mange pas grand-chose, surtout le soir : un petit morceau de fromage, et c'est tout.

humain. C'est un patron très humain : il tient toujours compte des problèmes de ses employés et de leurs difficultés.

faire plaisir. Sa visite m'a fait plaisir. = J'ai été content de sa visite.

avant-garde = ce qu'il y a de plus nouveau, de plus récent.

craindre = avoir peur de.

ambition. Il a beaucoup d'ambition : il a bien l'intention de réussir dans la vie.

frappant = qu'on voit tout de suite.
— Ils se ressemblent beaucoup !
— Oui, c'est vraiment frappant.

détester = ne pas aimer du tout.

effrayé. Je suis effrayé quand je vois la hausse des prix (= cela me fait peur).

étrange = bizarre.

affreux = qui n'est vraiment pas beau.

3. Résidences secondaires : les citadins à la campagne

citadin = habitant des villes.

se multiplier. Les résidences secondaires se sont multipliées. = Le nombre des résidences secondaires a augmenté.

acquisition = achat.

s'amplifier = devenir plus rapide (en parlant d'un rythme) ou plus important.

recherché = dont beaucoup de gens ont envie ; que beaucoup de gens cherchent à posséder.

se situer = se trouver (surtout en parlant d'une maison, d'un bâtiment, d'une ville...).

agglomération = ville.

aisé = qui a de l'argent.

se passionner pour. Elle s'intéresse à beaucoup de choses ; elle se passionne en particulier pour la musique et la danse, qu'elle aime vraiment beaucoup.

revivre = recommencer à vivre.

rénovation = action de mettre en bon état un quartier, une ville...

maintenir = garder ; ne pas supprimer.
C'est une habitude qu'il faut maintenir.

constituer = représenter.

source = cause.
Cette voiture est une source d'ennuis. = J'ai beaucoup d'ennuis avec cette voiture.

appréciable = qu'on peut apprécier ; important.

accueillir = recevoir bien ou mal.
— Comment les syndicats ont-ils accueilli cette mesure ?
— Ils ont été satisfaits.

originaire de.
— Vous êtes Breton ?
— Oui, je suis originaire de Saint-Malo, au nord de la Bretagne.

s'adapter à.
— Votre travail, ça va ?
— Oui, mais j'ai du mal à m'adapter aux nouveaux rythmes ; je dois partir de chez moi beaucoup plus tôt le matin, ce n'est pas facile.

milieu. Sa femme n'est pas du même milieu ; elle est d'une famille d'ouvriers, alors que lui est industriel.

rural = de la campagne.

porter plainte = se plaindre à la police.

4. Les rues pour piétons

en tout cas.
— Paul a des soucis.
— Oui, je ne sais pas ce qu'il a. Mais en tout cas, il a l'air bizarre.

municipalité = commune.

désormais = à partir de maintenant.

secteur. Un secteur de la capitale = une partie de la capitale.

bénéficier de. Dans les hôpitaux, on bénéficie de beaucoup d'avantages : par exemple, on ne paie pas les médicaments.

pittoresque *(nom et adjectif)* = ce qui est original et ce qui attire.
Ce paysage est vraiment pittoresque.

saison. L'été, l'hiver sont des saisons.

se préoccuper de = faire attention à ; tenir compte de.

se rendre = aller.

réaliser. C'est Paul Prévost qui avait imaginé le plan de ce bâtiment ; mais c'est un autre architecte qui l'a réalisé.

précipitamment = très vite, en se dépêchant.

mécontent de.
— Pourquoi cette manifestation ?
— Les travailleurs sont mécontents de leur salaire. Ils voudraient une augmentation.

opération. Les magasins Croisement ont lancé une grande opération de publicité : leurs produits seront vendus 10 % moins cher.

personnalité. En France, Valéry Giscard d'Estaing, François Mitterand sont des personnalités du monde politique.

préfecture = services qui s'occupent de l'administration d'un département.

zone = endroit, secteur.

se cultiver. Elle cherche à se cultiver : elle va au cinéma, elle lit beaucoup, elle assiste à des cours.

simplement = seulement.

quant à. Paul peut partir ; quant à toi, tu resteras ici.

à la disposition de. Ces livres sont à votre disposition. = Vous pouvez vous servir de ces livres autant que vous le voulez.

guider. « Paris pas cher » vous guidera dans vos achats : ce livre vous dira où trouver les produits les moins chers.

considération. Le projet a été réalisé sans considération de prix. = On n'a pas tenu compte du prix pour réaliser ce projet.

définitif.
— Sa réponse est définitive ?
— Non, je ne pense pas. Il veut encore réfléchir et il peut changer d'avis.

5. Adolescents

1. Sondage : les adolescents et leurs parents

proche (de). Nos opinions sont très proches. = Nos opinions se ressemblent beaucoup.

correspondre à. Ce qu'il dit correspond tout à fait à ce que je pense. = Je suis tout à fait d'accord avec ce qu'il dit.

idée. Connais-tu ses idées en politique ? = Sais-tu ce qu'il pense dans le domaine politique ?

bourgeois. Les industriels, les propriétaires, les avocats, les médecins... font partie de la classe bourgeoise.

uniquement = seulement.

curiosité. Elle est d'une curiosité... ! = Elle est très curieuse.

tolérant. Il est très tolérant avec ses enfants : il leur laisse beaucoup de liberté.

refuser.
— J'ai demandé une augmentation à mon patron.
— Et il a accepté ?
— Non, malheureusement, il a refusé.

permission. Mes parents m'ont donné la permission de sortir. = Mes parents m'ont permis de sortir.

artisan = personne qui fait un métier manuel, et qui ne dépend pas d'un patron.

généreux. Maurice est très généreux avec ses enfants : il leur offre des cadeaux, des voyages...

réticent ≃ qui hésite.
— Il a refusé ce que tu lui demandais ?
— Non, pas vraiment, mais il est réticent. J'espère que je vais réussir à le persuader.

2. Le sport au lycée

pays industrialisé = pays où les usines sont très nombreuses.

épanouissement. Ce travail lui a permis de trouver son épanouissement : elle a l'air heureuse, sans problèmes...

longuement = pendant un long moment.

insuffisance. Les travailleurs protestent contre l'insuffisance de leur salaire : ils veulent être payés davantage.

établissement = entreprise, administration, école...

remédier à. Cette région est très isolée. Pour remédier à cela, le gouvernement a décidé de construire de nouvelles routes, qui faciliteront l'arrivée des touristes.

pratiquer.
— Quel sport pratiques-tu ?
— Je fais du ski, et aussi de la danse.

option = activité qu'on est libre de choisir.

formule. Avec notre agence, vous avez le choix entre deux formules : voyage seul, ou voyage plus séjour à l'hôtel.

formidable *(familier).*
— Tu as aimé ce film ?
— Oui, je l'ai trouvé formidable.

aborder = commencer à faire quelque chose, à s'occuper de quelque chose.
On a abordé cette question au Conseil des ministres.

subvention.
— Pour créer cette entreprise, vous avez eu des subventions ?
— Oui, l'État m'a accordé 10 000 F.

compétition.
— Vous faites de la compétition ?
— Non, je pratique le canoë uniquement pour mon plaisir, pas pour essayer de gagner.

participants.
— J'ai passé un examen de droit.
— Il y avait beaucoup de participants ?
— Oui, environ une centaine.

minimum.
— Vous faites du sport ?
— Oui, une heure par semaine.
— C'est vraiment un minimum. Vous devriez en faire davantage.

3. Les adolescents et leurs vêtements

début. Le début de l'hiver = le moment où l'hiver commence.

circonstances.
— Pouvez-vous préciser les circonstances de l'accident ?
— Je roulais sur ma droite, quand une R10 m'a dépassé...

standard. 20 000 F, c'est le prix de la maison standard. Si vous voulez changer quelque chose, il faudra payer plus cher.

marrant *(familier)* = drôle.

occasion. J'ai acheté cette voiture d'occasion. Elle avait déjà 5 000 kilomètres.

tonne. Une tonne = 1 000 kilos.

original. Elle a toujours des vêtements originaux : on ne voit jamais personne d'autre porter les mêmes.

se distinguer de. Ces deux enfants se ressemblent beaucoup mais ils se distinguent par la couleur de leurs yeux.

caractéristique. Quand vous achetez une voiture, examinez bien ses différentes caractéristiques : vitesse, consommation, longueur, etc.

s'effacer. Sur cette photo, les détails se sont un peu effacés : on ne voit plus très bien les personnages.

désir. Avoir le désir de = avoir envie de.

prioritaire. Les pompiers sont prioritaires : vous devez toujours les laisser passer.
Cette question est prioritaire : elle doit passer avant toutes les autres.

équilibre. Elle n'a pas encore trouvé son équilibre : elle ne sait pas quel métier choisir, où s'installer, avec quels amis sortir...

image. L'image que vous vous faites de Christine n'est pas exacte : vous la voyez égoïste, elle est généreuse au contraire.

4. L'argent de poche

avouer = reconnaître.
— Il a avoué qu'il avait volé cet argent ?
— Non, il affirme qu'il n'est pas coupable.

juste. Je ne veux pas beaucoup de viande ; donne-m'en juste un tout petit peu.

disposer de = pouvoir utiliser.
Dans cette entreprise, les ouvriers disposent d'une voiture pour se déplacer.

fixe.
— Vous gagnez combien ?
— J'ai un salaire fixe de 3 200 F et, en plus, j'ai un pourcentage sur les ventes.

loger.
— Vous avez une chambre indépendante ?
— Non, je suis logé chez des amis.

nourrir = donner à manger.

mensuel = par mois.

en fonction de.
— Vous avez un salaire fixe ?
— Non, je suis payé en fonction des ventes (= mon salaire dépend des ventes).

scolaire = qui concerne l'école ou le lycée.

corvée *(familier).* Je n'aime pas faire le ménage ; c'est vraiment une corvée !

hostile à ≠ favorable à.

gratuitement = sans payer, ou sans être payé.

embêter *(familier)* = ennuyer.
Ma voiture est en panne. Ça m'embête, j'en avais besoin.

courageux.
— Il n'est vraiment pas courageux !
— Non, il ne fait jamais aucun effort.

consacrer à. Je consacre une heure par semaine au canoë. = Je passe une heure par semaine à faire du canoë.

suggestion.
— On sort ce soir. Tu as une idée ?
— J'ai plusieurs suggestions à te faire : cinéma, restaurant...

engager. J'ai été engagé chez Renault. Je commence à travailler la semaine prochaine.

recrutement = le fait d'engager des employés, des ouvriers.

à condition que = seulement si.

6. L'énergie

1. La grande panne

privé de. Nous sommes privés d'électricité depuis ce matin. = Nous n'avons plus d'électricité depuis ce matin.

brusquement = sans qu'on s'y attende, de façon brutale.

éprouvant = fatigant, difficile à supporter.

heure de pointe = heure où il y a le plus de passagers.

évacuer = faire sortir.

au juste = exactement.

saturé. Le marché est saturé : vous ne trouverez plus de clients.
L'air est saturé par la fumée des cigarettes : on ne peut plus respirer.

véhiculer = transporter.

catastrophe. Les conséquences du gel sont dramatiques pour les paysans ; c'est une catastrophe pour eux.

perte. J'ai subi une grosse perte sur cet appartement : je l'avais acheté 32 millions et je l'ai vendu 30 millions deux ans après.

association = groupe qui se crée pour défendre des intérêts (les associations de consommateurs, par exemple).

s'équiper. Au début, nous n'avions rien. Et puis nous nous sommes équipés : nous avons acheté du matériel agricole, des machines ; nous avons construit des bâtiments.

insuffisant = qui ne suffit pas.

crainte. Avoir la crainte de = craindre.

défaillance. L'accident est dû à une défaillance du système de sécurité : celui-ci n'a pas marché.

énergie. Le pétrole est une source d'énergie.

2. Économies d'énergie

avoir tendance à. Surveillez-le, il a tendance à aller trop vite ; il dépasse souvent le 130.

s'accroître = augmenter.

réglementation = ensemble des lois qui concernent une question ou un domaine précis. Exemple : la réglementation des prix.

rigoureux = précis et sévère.

notamment = en particulier.

constructeur = celui qui construit quelque chose.

fabricant = celui qui fabrique quelque chose.

sacrifier. Elle travaille trop, elle sacrifie ses enfants : elle n'a pas le temps de s'occuper d'eux.

réunir = mettre ensemble.

naturel = normal.
On lui fait des cadeaux, et elle trouve ça naturel, elle ne remercie même pas.

gratuit.
— L'entrée, c'est combien ?
— Vous n'avez rien à payer, c'est gratuit.

familial = de la famille.

déconseiller ≠ conseiller.
Au volant, il est déconseillé de fumer.

puissance. Puissance de la voiture : 5 CV (chevaux).

se rappeler.
— Tu ne te rappelles pas cette anecdote ?
— Non, je l'ai complètement oubliée.

toucher à.
— Quelqu'un s'est servi de mon vélo !
— Mais non, personne n'y a touché. Il est exactement là où tu l'avais laissé.

afin que = pour que.

se renseigner sur = prendre des renseignements sur.

3. L'énergie solaire

solaire = du soleil.

calorie. On calcule une quantité de chaleur en calories.

spécial = réservé uniquement à cet usage.

absorber. Il a plu, mais la terre a absorbé toute l'eau : il n'y en a plus à la surface.

fonctionner = marcher.
Ce chauffe-eau fonctionne au gaz.

réserve.
— Tu as de l'argent ?
— Oui, j'ai économisé 5 000 francs, mais je les garde en réserve : je ne veux pas les dépenser tout de suite.

récupérer = réunir des choses pour les utiliser.
Elle passe chez les gens pour récupérer les vieux vêtements et elle les donne aux personnes âgées.

reculer devant = renoncer à faire quelque chose, à cause d'une difficulté.

investissement = somme d'argent que l'on met dans quelque chose pour en tirer avantage.

décourager. Elle n'a pas réussi à son examen, elle est complètement découragée : elle n'a pas envie de recommencer.

avoir pour objectif de = se donner comme but de.

se proposer de = avoir l'intention de.

muni de = équipé de.

étudier = faire l'étude de.

carburant. L'essence est le carburant utilisé pour les automobiles.

inventer = trouver.
Il vient d'inventer un nouveau système de chauffage, qui permettra de diminuer la consommation d'énergie.

espoir. Ses derniers résultats nous donnent des espoirs pour l'examen. = On espère qu'il sera reçu.

4. Les manifestations anti-nucléaires

opposition = le fait de s'opposer à quelque chose.

incident. Un automobiliste s'est mis en colère contre un conducteur d'autobus ; l'incident n'a pas eu de suites.

désapprobation. Tout le monde condamne son attitude ; malgré cette désapprobation, il continue.

s'indigner. Les syndicats s'indignent des dernières mesures du Gouvernement ; ils les trouvent scandaleuses.

imposer. Nous n'étions pas d'accord, mais le patron nous a imposé ces horaires, sans tenir compte de notre avis.

modernisation = le fait d'adapter quelque chose aux besoins de la vie moderne.

paysage. Le paysage est très beau : la mer, les arbres, la verdure, tout me plaît.

7. La presse

1. « Les Nouvelles »

regard = le fait de regarder.
Lancer un regard, porter le regard sur = regarder.

objectif, -ive.
— Liliane prétend que Christine est très courageuse.
— Oui, mais Liliane n'est pas très objective : Christine est sa fille, et elle lui trouve toutes les qualités.

actualité = ce qui se passe actuellement.

politique intérieure = affaires qui concernent le pays lui-même.

nation. La France est une nation.

sans complaisance = très objectif, même si on risque de ne pas plaire ou d'être désagréable.
Elle m'a fait de lui un portrait sans complaisance : elle dit qu'il est cynique, brutal, égoïste, et c'est bien vrai.

présentation. Faire la présentation de = présenter.

détaillé = avec beaucoup de détails.

rapport.
— Comment vont vos rapports avec vos parents ?
— Très bons. Je m'entends bien avec eux.

parti = association de personnes qui ont les mêmes idées politiques.

conflit.
— Elle s'entend bien avec ses parents ?
— Non, elle a beaucoup de conflits avec eux.

position.
— Quelle est votre position sur ce problème ?
— Je suis d'accord avec le gouvernement.

analyser = faire l'analyse de.

déclaration = ce que dit quelqu'un.

documenter, se documenter. Si vous voulez vous documenter sur l'Égypte, consultez ce livre. Il donne beaucoup de renseignements.

événement. Voici les principaux événements de la journée : arrivée du président à Marseille, manifestation des syndicats à Paris,...

à l'écoute de. Être à l'écoute de = écouter avec attention.

changement. Il y a eu un changement dans le gouvernement : Paul Petit a remplacé Jacques Prades comme ministre des Transports.

scandale. C'est un scandale ! = C'est scandaleux !

aller au fond des choses. Votre analyse est trop superficielle : vous n'allez pas au fond des choses.

au courant.
— Vous saviez que Paul était parti ?
— Mais non ! Je n'étais pas au courant !

sympathique = agréable, par qui on est attiré.

bref. Elle n'aime pas lire, elle n'aime pas sortir, elle n'aime pas voyager. Bref, elle n'aime rien.

rendre. Rendre agréable = faire devenir agréable.

critique. 1. Je pense que ce livre est bon ; il a eu une très bonne critique dans les journaux et ça me donne envie de l'acheter.
2. Il n'est jamais d'accord avec mon travail ; il a toujours des critiques à me faire.

d'un coup d'œil = d'un seul regard ; très vite.

2. De l'imprimerie au marchand : la diffusion des journaux

la veille = le jour d'avant.

à l'origine de = à la source de.
C'est un autobus qui est à l'origine de l'accident.

le lendemain = le jour suivant.

éloigné = qui se trouve loin.

financièrement = en ce qui concerne l'argent, le budget.

propre.
— Elle vit chez ses parents ?
— Non, elle a son propre appartement (= un appartement à elle).

quotidien = journal qui sort tous les jours.

éprouver.
— Qu'est-ce que vous éprouvez après ce succès ?
— Je me sens très heureuse !

lassitude. Éprouver de la lassitude = se sentir fatigué.

trier. Toutes ces robes sont mélangées ! Il va falloir les trier : les rouges à droite, les bleues à gauche.

invendu = produit que l'on n'a pas vendu.

puisque. Je voulais sortir, mais puisque tu es malade, nous resterons à la maison.

3. Presse : un empire

empire. En 324, l'empire grec allait de la Méditerranée à l'Indus.

diriger. C'est Monsieur Bertrand qui dirige cette entreprise. = C'est Monsieur Bertrand qui est le patron de cette entreprise.

hebdomadaire. Un hebdomadaire est un journal ou une revue qui sort toutes les semaines.

magazine = revue qui sort régulièrement (toutes les semaines, ou tous les mois...).

rédaction = ensemble des gens qui écrivent dans un journal.

abstention = le fait de refuser de voter.

représentant = personne qui représente un groupe.

rompre. Il travaillait chez Renault. Mais il a rompu son contrat pour travailler chez Citroën.

engagement. Vous avez promis de venir. Respectez vos engagements !

de manière à = pour.

indépendance = état d'une personne ou d'une chose indépendante.

sous prétexte que = en prétendant que.

sauver. Il y a eu un incendie place des Vosges ; heureusement, les pompiers ont pu sauver tout le monde, et il n'y a pas eu de victimes.

licenciement. La direction a décidé le licenciement de 50 ouvriers. = La direction a décidé de licencier 50 ouvriers.

union = groupe, association.

dénoncer. 1. On a su qu'il était coupable quand son fils l'a dénoncé.
2. Ce journaliste se faisait payer pour vanter une marque de voiture. Les syndicats ont dénoncé le scandale.

fort = gros.

monopole. L'État a le monopole du tabac. C'est lui qui le fait fabriquer, et qui le vend.

évolution. Elle s'habille comme il y a dix ans : elle ne s'occupe pas de l'évolution de la mode.

expression = le fait de s'exprimer.

solide.
— Ce vase est solide ?
— Oui, il ne risque pas de se casser.

appui. Il a des appuis importants : plusieurs ministres lui sont favorables.

mentionner ≃ indiquer.

majorité = la plus grande partie de.

tolérance = le fait d'être tolérant.

4. La mort d'un journal

échouer.
— Elle a réussi à son examen ?
— Non, elle a échoué. Il faut qu'elle recommence l'année prochaine.

recruter = engager.

documentation. Pour faire des économies, consultez la documentation de l'agence pour les économies d'énergie ; vous y trouverez tous les renseignements que vous souhaitez.

fabrication. La fabrication de cette voiture a demandé plusieurs mois. = Pour fabriquer cette voiture, il a fallu plusieurs mois.

venir à bout de. Je pensais que je ne terminerais jamais ce travail, mais j'en suis quand même venu à bout. C'est fait !

lancement = le fait de lancer.

capitaux. Il faut trouver des capitaux. Il nous manque encore 5 millions de francs pour terminer la construction de l'usine.

soutien = appui.

promesse = ce qu'on a promis.

paraître = sortir, en parlant d'un livre, d'un journal.

absolument = tout à fait, certainement.

échec = le fait d'échouer.
Elle n'a pas réussi à son examen. Cet échec l'a beaucoup découragée.

répéter = dire encore une fois.
Je n'ai pas compris. Pourriez-vous répéter ?

financier = qui concerne l'argent.

tenir à = être tout à fait décidé à.

féliciter. C'est très bien ! Je vous félicite !

remercier = dire merci.

personnel = les gens qui travaillent dans une entreprise, dans des bureaux, par exemple.

effectif.
— Quels sont vos effectifs ?
— Nous employons plus de 100 000 personnes.

réduit = peu important.

avec sérieux = de façon sérieuse.

fier. Vous pouvez être fier de votre livre ; il est vraiment très bon.

organisme = société, association, agence, bureau.
Une agence de tourisme est un organisme qui s'occupe de voyages.

8. Le sport

1. La course à pied

bol. Le matin je bois un bol de café avec du lait.

oxygène. L'oxygène (O) est un élément de l'air.

accumuler. La neige s'est accumulée devant la porte : on ne peut plus l'ouvrir.
Elle accumule les problèmes : sa fille est malade ; son mari n'a plus de travail ; etc.

célèbre = très connu.

facilité. Avec plus ou moins de facilité = plus ou moins facilement.

dons. Elle a beaucoup de dons : musique, peinture, tennis, elle réussit dans tous les domaines.

force. Avoir de la force = être fort.

amateur. 1. C'est un amateur de cinéma. = Il aime beaucoup le cinéma.
2. Je fais de la compétition en amateur : ce n'est pas mon métier.

se spécialiser. Il a fait des études de médecine, et il s'est spécialisé dans les maladies de cœur.

enregistrer = constater.
Cette année, on a enregistré une diminution importante des exportations de cette entreprise.

l'essentiel = le plus important.

bouger. Elle bouge tout le temps. = Elle ne reste jamais à la même place.

sainement = de façon saine.

brutalement = de façon brutale.

épuisement = très grande fatigue.

progressivement = peu à peu.

quotidiennement = tous les jours.

2. Sport et publicité

décerner. Une récompense sera décernée au premier.

sélectionner = trier.
— Comment sélectionnez-vous ceux qui peuvent participer à la course ?
— Je leur fais passer une première épreuve et je garde les meilleurs.

exploit. 1 000 m en 2 minutes 15 secondes, c'est vraiment un exploit !

victoire = le fait de gagner.

éliminer. Il y avait deux épreuves : 25 % des participants ont été sélectionnés pour les épreuves suivantes, les autres ont été éliminés.

adversaire = celui qui joue contre quelqu'un.

prestigieux = très connu, très célèbre.

le moindre = le plus petit.

remporter = gagner.

international = qui a lieu entre (ou qui concerne) plusieurs pays différents.

complet. Il n'y a plus une seule chambre, l'hôtel est complet.

envisager ≃ avoir comme projet.

capital = très important.

rater. Je suis arrivé trop tard ! J'ai raté le match à la télé.

oser. Son directeur lui reprochait de ne pas assez travailler, et elle a quand même osé demander une augmentation.

assurer que = affirmer que.

commercial = qui a un rapport avec le commerce.

3. Dopage : un des problèmes du sport

parvenir à = arriver à.

battre un record. L'ancien record du 1 000 m (2′ 18″) a été battu par Morris, avec 2′ 16″.

obligation. En France, mettre sa ceinture de sécurité, c'est une obligation.

se contenter de. Je cherche un trois-pièces, mais je pourrai me contenter d'un deux-pièces.

prodigieux = extraordinaire.

avoir recours à. Elle n'avait plus d'argent. Elle a encore eu recours à ses parents : elle leur a demandé 1 000 F.

scientifique = qui concerne les sciences.

industrie = ensemble des activités qui ont pour but de fabriquer des produits.

pharmaceutique = qui concerne la pharmacie.

sans cesse = sans s'arrêter.

lutte. Le gouvernement a décidé de donner plus d'argent pour la lutte contre le tabac.

aboutir à.
— Et cette manifestation, elle a abouti à quoi ?
— Nous avons obtenu une augmentation de salaire.

échapper à. Le voleur a échappé à la police : on n'a pas pu le rattraper.

tricher = ne pas respecter les règles, dans un concours, un jeu, etc., dans le but de gagner.

dirigeant = celui qui dirige.

entraîneur = celui qui aide quelqu'un à pratiquer un sport.

encourager à. Il l'a encouragé à travailler. = Il l'a poussé à travailler.

aller au-delà de = dépasser.

continuel = qui ne s'arrête pas.

inhumain ≠ humain.

alléger = rendre moins lourd, moins difficile.

4. Sports d'hiver

affluence = grand nombre de personnes qui se rassemblent dans un même endroit.

se confirmer.
— On a dit que Menot avait gagné.
— Oui, et la nouvelle s'est confirmée : c'est bien lui le vainqueur.

nettement = de façon importante.

au profit de = à l'avantage de.

privilégié = qui a beaucoup d'avantages.

parallèlement = en même temps.

phénomène. Après les guerres, l'augmentation du nombre des naissances est un phénomène que l'on constate très souvent.

une poignée = un petit nombre.

apprentissage = le fait d'apprendre un métier, un sport.

coûteux = qui coûte cher.

démocratique. C'est un sport très démocratique : tout le monde peut le pratiquer.

capacité d'accueil.
— Quelle est la capacité d'accueil de ce cinéma ?
— 200 places environ.

maximum = le plus élevé possible.

superficie = surface.

utilisable = qu'on peut utiliser.

contribuer à. Mon entourage a beaucoup contribué à ma victoire. = Mon entourage m'a beaucoup aidé à gagner.

exode = départ en grand nombre.

9. Entreprises

1. Monter une entreprise

monter une entreprise = créer une entreprise.

essentiellement = surtout.

dépôt, déposer. Après le dépôt d'un projet de loi par le gouvernement, c'est à l'Assemblée nationale d'en discuter.

légalement = en respectant la loi.

démarches. Pour obtenir le permis de construire, il faut faire plusieurs démarches : adresser une demande au maire ; une autre au directeur de l'équipement ; envoyer un dossier, etc.

probablement = sans doute.

adapté = qui convient.

créateur = celui qui crée quelque chose.

artisanal = pas encore industriel.

formuler. Cet élève n'arrive jamais à formuler ses idées : il s'exprime très mal.

embaucher = engager.

recette = argent gagné.

autorisation = le fait de permettre quelque chose.

formalité. À la naissance d'un enfant, il faut l'inscrire à la mairie ; c'est une formalité obligatoire.

être en mesure de = pouvoir.

trésorerie = ensemble des capitaux d'une entreprise.

création = le fait de créer.

fiscal = qui concerne les impôts.

charges sociales = ce qu'un patron paie à la sécurité sociale pour ses employés.

les particuliers = les individus.

investir = mettre de l'argent dans une entreprise, par exemple.

2. Vers un emploi du temps plus souple

souple. Les horaires sont très souples : on commence à l'heure qu'on veut.

partiel.
— Tu travailles à temps complet ?

— Non, à temps partiel : je fais trente heures par semaine.

établir = organiser, fixer.
— Qu'est-ce qu'on a prévu comme activités cette semaine ?
— Je ne sais pas. Le programme n'est pas encore établi.

déduire. Quand Béatrice garde un enfant, elle gagne 60 F par soirée. Mais elle doit déduire 10 F de transport. Ça ne lui fait plus que 50 F.

aménager. Aménager le temps de travail, c'est répartir les heures de travail avec une certaine liberté.

éventuel = qui peut arriver.

formation.
— Quelle est votre formation ?
— J'ai fait des études de droit.

aller à l'encontre de = être en opposition avec.
Ces mesures vont à l'encontre des intérêts des travailleurs : elles leur font du tort.

traitement = ce qu'on gagne quand on est fonctionnaire ou employé.

étaler. Le gouvernement souhaite que les Français étalent leurs vacances (= qu'ils les prennent en plusieurs fois, et pas tous en même temps).

gérer = s'occuper d'une affaire, d'une entreprise, et en avoir la responsabilité.
Cette entreprise a été mal gérée. Le patron n'avait aucune compétence.

fraude. Le gouvernement a décidé de mener une lutte contre la fraude fiscale : plus de 80 milliards de francs échappent en effet aux impôts chaque année.

paternalisme = attitude d'un patron (par exemple) qui se montre généreux avec ses ouvriers, tout en se considérant comme quelqu'un de supérieur.

démagogue. Ce candidat n'est qu'un démagogue : il essaie de plaire et les mesures qu'il suggère ne sont pas sérieuses ; par exemple, il propose de supprimer une grande partie des impôts !

spectaculaire. Il a guéri de façon spectaculaire, en quelques jours, alors qu'on le croyait condamné.

intérimaire. Un travailleur intérimaire est un travailleur qui en remplace un autre ou qui fait un travail dans une entreprise pendant une période limitée.

être tenté par. Je suis tentée par cette robe. = Cette robe me fait envie.

qualification. Elle n'a pas fait d'études ; elle n'a jamais travaillé ; elle ne sait rien faire ; elle n'a vraiment aucune qualification.

rémunération = ce qu'on gagne pour un travail.

orienter.
— Qu'est-ce qu'elle compte faire ?
— Ses professeurs veulent l'orienter vers la médecine.

test. Pour contrôler votre vue, on vous fait passer des tests. Par exemple, on vous fait lire des mots à différentes distances.

3. Le « travail noir »

travail noir = travail qui n'est pas permis par l'État, et qui se fait en dehors de son contrôle.

couvrir. On m'a volé ma voiture. Et je ne suis pas couvert par mon assurance : je n'étais pas assuré contre le vol.

punir. Pierre devient capricieux ; je suis obligée de le punir : il n'aura pas le livre que je lui avais promis.

exécuter. Cette peinture a été exécutée par un artiste du XVIIe siècle.

combattre = mener une lutte contre.

unanimes à. Ils sont unanimes à condamner ce crime. = Ils sont tous d'accord pour condamner ce crime.

mesurer. On a enfin pu mesurer l'importance des dégâts causés par cette catastrophe : la « note » s'élèvera à un million de francs.

réprimer = punir.

légal = qui respecte la loi.
Conduire sans permis, ce n'est pas légal.

supposer.
— Où est Maurice ?
— Je ne sais pas exactement. Je suppose qu'il est en vacances.

déclarer. Dès la naissance de votre enfant, vous devez le déclarer à la mairie.

prix de gros = prix payé par un commerçant pour une importante quantité de produits ; ces produits seront vendus aux particuliers, au prix de détail.

notion. Cet enfant n'a pas encore la notion de l'argent : il ne sait pas exactement ce que ça représente.

définir. Elle éprouvait un sentiment difficile à définir (= qu'elle ne pouvait pas bien expliquer, qui n'était pas très net).

finir = se terminer.

bricolage = travail manuel qui est fait par un amateur, et non par un professionnel.

coup de main *(familier).* Donner un coup de main à quelqu'un = aider quelqu'un.

illégal ≠ légal.

complicité.
— L'accusé a agi seul ?
— Non, avec la complicité d'un ami, qui lui a prêté sa voiture.

entrepreneur = personne qui s'occupe des travaux, qui en a la responsabilité (surtout dans le bâtiment).

fournisseur = personne chez qui des clients (magasins, restaurants, etc.) achètent régulièrement un ou plusieurs produits.

débouché.
— Votre entreprise a beaucoup de débouchés ?
— Oui, nous avons plusieurs marchés en Europe et en Afrique.

évidence. De toute évidence = de façon très claire.

coût = ce que coûte quelque chose.

répression = le fait de punir, de réprimer.

procès. Il a porté plainte et il a gagné son procès : le tribunal lui a accordé 10 000 F de dommages et intérêts.

portée ≃ résultat, efficacité.

4. La Sodec : comment faire survivre une entreprise

survivre = continuer à vivre.
Il n'a pas survécu à la mort de sa femme : il est mort deux mois après elle.

remettre en route = remettre en marche.
— La machine est toujours arrêtée ?
— Non, je viens de la remettre en route.

se souvenir de = se rappeler.

indifférent. Tout le laisse indifférent : il ne s'intéresse à rien.

compte.
— Vous avez un patron ?
— Non, je travaille pour mon propre compte.

souffle.
— Vous êtes essoufflé ! Arrêtez-vous. Reprenez votre souffle.
Retrouver un second souffle *(figuré)* = prendre un second départ.

angoissant = qui cause une très grande inquiétude.
La situation est angoissante : des milliers de familles sont dans l'inquiétude.

naturellement = bien sûr.

gain = argent gagné.

complément. J'ai trouvé un petit travail : je gagne 1 000 F par mois. Il me faut 1 500 F pour vivre. Mes parents me donnent le complément.

collection. Lundi prochain, les maisons de couture vont présenter leurs collections : robes, manteaux, etc.

réduction. J'ai acheté ma robe avec 20 % de réduction : je l'ai payée 100 F de moins.

négociation. Les négociations entre les deux pays ont échoué ; la guerre ne pourra pas être évitée.

engager. La discussion est déjà engagée. = La discussion a déjà commencé.

application = utilisation.
Il a fait des découvertes, mais on n'a pas encore trouvé les applications possibles.

déposer un brevet. Quand vous avez inventé une machine, par exemple, vous déposez un brevet, pour pouvoir être le seul à fabriquer et à vendre cette machine.

savoir-faire = compétence.

gamme = série de choses classées par degrés.
Nous fabriquons toute une gamme de voitures (= de toutes les tailles et à tous les prix).

10. La pollution

1. Le bruit

bruyant. 1 = qui fait du bruit.
2 = où il y a beaucoup de bruit.

animé.
— C'est une rue très animée !
— Oui, il y a beaucoup de magasins, beaucoup de circulation, et beaucoup de bruit.

à peine = presque pas.

supportable = qu'on peut supporter.

en bordure de = au bord de.

le pire = le plus difficile à supporter.

autrefois ≠ maintenant.
Autrefois, je faisais beaucoup de tennis. Maintenant, j'ai abandonné : ça fait 10 ans que je n'ai pas touché à une raquette !

satisfaire = faire ce qui est exigé par.

s'endormir = commencer à dormir.

sursauter = sauter sans le vouloir, à cause de quelque chose (un bruit, par exemple, qu'on n'attendait pas.)

faire fortune = gagner beaucoup d'argent.

sourd = qui n'a jamais entendu, ou qui n'entend plus.

perturber = détruire l'équilibre de quelqu'un ou de quelque chose.

système nerveux = ensemble des organes grâce auxquels l'intelligence, les réflexes d'un individu peuvent fonctionner.

portion = partie.

addition = note, facture.

conseillers = ceux qui font partie d'un conseil.
Les conseillers municipaux s'occupent de l'administration de la municipalité.

boulevard périphérique = boulevard qui fait le tour de Paris.

2. L'« Amoco Cadiz »

capitaine. Le capitaine d'un bateau est celui qui dirige ce bateau, qui en a la responsabilité.

montant.
— Quel est le montant de votre loyer ?
— 2000 francs par mois.

cargaison = ce que transporte le bateau.

inefficace = pas efficace.
Ce médicament est tout à fait inefficace : je suis toujours aussi malade.

s'étendre = se développer à la surface, s'étaler.

impressionnant ≃ frappant par sa force, sa dimension.
Un orage sur la mer, c'est très impressionnant, ça fait même un peu peur.

désespéré = qui a perdu tout son espoir.

porter secours à = aider quelqu'un qui se trouve dans une situation difficile.

rentabilité. Vérifiez la rentabilité de votre affaire : vous devez gagner plus d'argent que vous n'en dépensez.

normes = règles qui fixent les méthodes de fabrication, de production, ou de transport.

3. L'envahissement du littoral

envahi, envahissement. Cette année, les skieurs ont envahi les stations de sports d'hiver : on ne savait plus où les loger !

conquête. Jules César a fait la conquête de la Gaule de 58 à 51 avant J.-C.

dater. Certaines parties du Louvre datent du XVIe siècle.

aristocratie. Avec la révolution de 1789, l'aristocratie française a perdu le pouvoir.

bourgeoisie = classe bourgeoise.

se généraliser. L'usage de la voiture s'est généralisé : tout le monde, ou presque, en possède une aujourd'hui.

artificiel = qui n'est pas naturel.

foyer = endroit où quelque chose se développe.
Cette école est un foyer de chercheurs. = Beaucoup de chercheurs sont sortis de cette école.

pollution. La fumée des cigarettes, les gaz qui s'échappent des voitures sont des sources de pollution.

marée = déplacement de la mer qui se produit deux fois par jour.

prendre conscience = se rendre compte.

écologiste = personne qui essaie de protéger la nature.

outre = en plus de.

certes = bien sûr.

disposé à = prêt à.

acquérir = acheter.

tant que = aussi longtemps que.

4. Une alimentation saine ?

équilibré. Dans une alimentation équilibrée, il y a une bonne proportion des différents aliments.

mûr = qui est arrivé à son développement complet.

en fait. Elle prétend qu'elle doit sortir pour son travail ; en fait, elle se promène.

automne = saison qui va du 23 septembre au 22 décembre.

au prix de ≃ à cause de ; grâce à.
Bien sûr, il a été reçu à son examen, mais au prix de quels efforts !

apport = le fait d'apporter.

s'étonner. Je m'étonne qu'il ne soit pas là ; d'habitude, il est à l'heure.

se conserver.
— Ce fromage se conserve ?
— Pas plus d'une journée. Il faut le manger avant demain.

une fois que = quand, après avoir.

s'approvisionner = faire des provisions.

diététique. La diététique étudie la valeur des aliments et les régimes alimentaires.

justifié. Vous vous plaignez de votre salaire : ça ne me paraît pas très justifié. Vous gagnez plus que la plupart des employés qui ont la même formation que vous. Je crois que vous avez tort de vous plaindre !

avec philosophie. Quand je lui ai dit que je partais, il a réagi avec philosophie : il ne s'est pas mis en colère, il ne s'est pas énervé. Je crois qu'il a quand même accepté mon départ.

11. Étudiants

1. Les stages de formation

regretter. Regretter que = ne pas être satisfait que.

insister. Le premier Ministre a surtout insisté sur les problèmes de l'emploi ; il en a parlé pendant plus de la moitié de son discours.

nécessité. C'est une nécessité. = C'est une chose nécessaire.

alterner. Vous faites une longue distance en

voiture ; au volant, alternez avec quelqu'un qui vous remplacera tous les 200 km, par exemple.

étroitement = de très près.

lier. Ces deux affaires sont liées. = Ces deux affaires dépendent l'une de l'autre.

bien que. Il travaille bien qu'il soit malade. = Il est malade et pourtant il travaille.

être méfiant à l'égard de = se méfier de.

patronat = l'ensemble des patrons.

soupçonner. Il dit qu'il n'est pas sorti hier soir, mais je le soupçonne de mentir. J'ai l'impression de l'avoir entendu rentrer vers minuit.

forme = aspect, type.

incontestablement = de façon évidente.
— Il a fait des progrès.
— Incontestablement ! Personne ne peut dire le contraire !

enrichissement. Ces cours sont une source d'enrichissement pour les personnes âgées, qui apprennent ainsi beaucoup de choses.

pédagogique. Pour être professeur, il faut des qualités pédagogiques : connaître des choses, bien sûr, mais aussi savoir les présenter.

répandre. Ce médicament n'est pas encore très répandu en France : on l'utilise assez peu.

adopter. Je n'aimais pas ces nouvelles chaussures, et puis je les ai adoptées : j'en porte, comme tout le monde !

technologie = étude des techniques utilisées dans l'industrie.

scolarité. En France, la scolarité est obligatoire jusqu'à 16 ans.

se dérouler = avoir lieu.
La manifestation s'est déroulée sans incident.

soutenir. Soutenir un rapport, c'est présenter ce rapport à un jury, et répondre aux questions posées.

membre.
— Vous êtes membre de cette association ?
— Oui, j'en fais partie depuis 2 ans.

se débrouiller. Je ne serai pas toujours là pour t'aider. Il faut que tu apprennes à te débrouiller tout seul.

gestion. Faire des études de gestion, c'est apprendre à bien gérer différentes affaires.

excellent = très bon.

adaptation = le fait de s'adapter à quelque chose.

connaissance. Elle a beaucoup de connaissances. = Elle connaît beaucoup de choses.

de base = élémentaire.

chargé de.
— Quel est votre travail ?
— Je suis chargé des ventes.

2. Chercher une chambre

bac, baccalauréat = examen que l'on passe à la fin des études secondaires.

dispenser. Dispenser un enseignement, des cours = donner, assurer un enseignement, des cours.

évident = très clair.

pension. La pension complète (chambre + petit déjeuner + déjeuner + dîner) est de 100 F par jour.

sommaire. Une seule page pour répondre à une question aussi importante, c'est vraiment sommaire ; il aurait fallu 5 pages au moins.

accueillant = agréable.

mixte. Lycée mixte = lycée qui reçoit les garçons et les filles.

se procurer.
— Où est-ce qu'on peut se procurer ce papier ?
— Adressez-vous au guichet. On vous en donnera un.

officiel.
— Cette décision est officielle ?
— Oui, c'est le ministre lui-même qui l'a fait connaître.

régional = qui concerne une région.

isolement = le fait d'être isolé, de se sentir seul.

démoralisant. Ça fait deux fois que j'échoue à mon permis, c'est démoralisant ! Je n'ai pas le courage de recommencer.

ambiance. J'aime l'ambiance de ce quartier : c'est animé, les gens sont agréables, il y a beaucoup de commerces.

psychologie = science qui s'intéresse au caractère des gens, à la façon dont ils réagissent.

chouette *(familier)* = qui plaît.

en échange de. Je te donne un ballon en échange d'une voiture (= et toi, tu me donnes une voiture).

effectuer = faire, réaliser.

inconvénient. Travailler loin de chez soi, ça présente beaucoup d'inconvénients : beaucoup de transports, de fatigue, de frais, etc.

3. Les problèmes des universités

traditionnellement = d'habitude.

s'agiter. Ne vous agitez pas comme ça ! Restez un peu en place !

surprendre = étonner.

renouveler. Renouveler une expérience = recommencer une expérience.

crise. Le pays traverse une crise grave : rien

ne marche plus ; il y a des grèves, des manifestations.

misère. Il est dans la misère : il n'a pas assez d'argent pour vivre.

riche = qui a beaucoup d'argent.

ressource = ce dont on dispose pour vivre.

gaspillage = le fait de gaspiller.

gestionnaire = personne qui gère un établissement, une entreprise.

vacant = qui n'est occupé par personne.

discipline.
— Elle est étudiante dans quelle discipline ?
— Droit économique.

promotion. Obtenir une promotion = obtenir un poste plus important.

procéder à = faire.
Quand les candidatures sont posées, il faut procéder à l'examen des différents dossiers.

enseignant = professeur.

grade.
— Quel est votre grade ?
— Assistant. Je dois passer maître-assistant cette année.

recherche. Il a fait des recherches sur le cancer. Il a découvert un médicament intéressant.

pur.
— Vous mettez de l'eau dans votre vin ?
— Non, je préfère le vin pur.

paradoxal = bizarre, inattendu.
Vous êtes membre d'un parti de gauche, et vous allez apporter votre appui au candidat de la droite, c'est quand même paradoxal !

accent. Mettre l'accent sur = insister sur.

lien. Ces deux affaires sont complètement indépendantes l'une de l'autre ; il n'y a aucun lien entre elles.

compatible. Vous pourrez venir à 14 h ? C'est compatible avec votre emploi du temps ? (= Est-ce que votre emploi du temps le permet ?)

médiocrité = mauvaise qualité.

4. Les étudiants étrangers

constant = continuel.

stable = qui ne change pas.

cycle. Les classes du secondaire sont organisées en deux cycles : le premier cycle comprend les 4 premières années, et le deuxième cycle les trois dernières.

relever = noter.

académie = division administrative universitaire et scolaire en France.

rayonnement. Cet auteur a connu un grand rayonnement à son époque : il a été très lu, et il a eu beaucoup d'influence.

bénéficiaire = celui qui profite de quelque chose.

souffrir de qqch *(figuré)* = subir les conséquences de qqch.

désagréable ≠ agréable.

institution = organisme.

préalable = qui a lieu avant.

impasse. C'est une impasse. = Il n'y a aucune issue.

personnellement. Personnellement, je suis favorable à ce projet. = En ce qui me concerne, je suis favorable à ce projet.

délégation = groupe de personnes chargées de s'occuper d'un problème.

coordonner = assurer le lien entre différentes actions.

bilatéral = qui engage les deux parties signant l'accord.

se traduire par. Le mécontentement des ouvriers s'est traduit par une grève générale.

principalement = surtout.

colloque = réunion où on discute de questions scientifiques, politiques, etc.

à défaut = sinon.

attestation = papier qui garantit, qui prouve quelque chose.
Quand un ouvrier quitte une entreprise, le patron lui donne une attestation de travail. Cette attestation lui permet de prouver qu'il a vraiment travaillé dans cette entreprise.

justification = explication.

12. Des ordinateurs au bricolage

1. Télématique : la France s'équipe

engin = appareil, machine.

amener à. Les circonstances l'ont amené à changer de projet. = Il a changé de projet à cause des circonstances.

profond.
— Ce trou est profond ?
— Oui, il fait plus de 100 m.

servir à = être utilisé pour.

confusément = d'une manière peu précise.

tirer parti de. Elle a beaucoup de dons, mais elle ne sait pas en tirer parti : elle ne réussit rien de ce qu'elle fait.

inaugurer = fêter le début de quelque chose :

Le président de la République a inauguré hier le nouveau train Paris-Marseille.

abonné.
— Vous n'achetez pas le journal ?
— Non, je le reçois chez moi. Je suis abonné depuis 2 ans.

élargir = rendre plus important.

introduire. C'est un savant américain qui a introduit cette technique en France. Avant lui, elle n'existait pas.

veiller à ce que = faire attention à ce que.

2. Ordinateurs...

facturation = action de faire des factures.

erreur.
— Cet article coûte bien 120 F ?
— Non, il y a une erreur : c'est 90 F.

rupture de stock.
— Je voudrais un fauteuil en cuir.
— Ah, nous n'en avons plus : nous sommes en rupture de stock. Il faudra attendre deux mois.

livraison.
— Vous pouvez me livrer cette bibliothèque ?
— Oui, mais il faut compter 60 F en plus, pour les frais de livraison.

mise en place = installation.

respect = le fait de respecter.

considérablement = de manière très importante.

honnêteté. Ce commerçant fait toujours preuve de beaucoup d'honnêteté : la semaine dernière, par exemple, je lui avais donné 50 F de trop ; il me les a rendus.

provoquer = causer.

en matière de = en ce qui concerne.

anomalie = chose anormale.

automatisation. Autrefois, pour obtenir une communication, il fallait passer par le central téléphonique. Maintenant, l'automatisation s'est faite presque partout : on a directement la communication demandée.

allocation. Quand vous avez 2 enfants, l'État vous verse 400 francs environ, en complément de votre salaire : ce sont les allocations familiales.

résider = habiter.

domicile = endroit où on habite.

commettre une erreur. Vous avez commis une erreur : c'était 200 F, et pas 250 F.

inconnu = qu'on ne connaît pas.

corriger. Il y avait une erreur sur le prix, mais je l'ai corrigée : j'ai remis le bon prix sur l'étiquette.

compréhensible = qu'on peut comprendre.

3. Bricolage

entreprendre. Le gouvernement a entrepris de grands travaux dans cette région : routes, ponts, etc. On espère qu'ils seront terminés dans deux ans.

compliqué = difficile.

laid ≠ beau.

préjugé. Les personnes âgées ont souvent des préjugés contre les jeunes : ils sont bruyants, ils n'aiment pas travailler... En fait, la plupart du temps, c'est faux.

révéler. Le coupable a été retrouvé. Son complice a révélé l'endroit où il se cachait.

truc *(familier).*
— Comment est-ce que tu fais pour réussir ce plat aussi bien ?
— J'ai un truc très simple. J'ajoute le beurre 5 minutes avant de servir.

doué. Elle fait de la musique, mais elle n'est vraiment pas douée ; elle ne joue pas très bien.

grand-mère = mère du père ou de la mère.

secret.
— Pierre m'a dit quelque chose.
— Ah bon ! Quoi donc ?
— C'est un secret. Je ne peux pas le répéter.

4. Artisanat : une mode ?

une foule de = une grande quantité de.

passion = intérêt très fort pour quelque chose.
Elle a une véritable passion pour le cinéma.

refus = le fait de refuser.

communauté = groupe de personnes qui vivent ensemble.

enthousiasme.
— Vous avez recommencé à travailler ?
— Oui, mais sans enthousiasme ! J'aurais préféré rester encore à la maison.

en déduire. Il n'était pas là : j'en ai déduit qu'il avait été retardé.

vogue. Être en vogue = être populaire et à la mode.

passager, -ère = qui ne dure pas.
Il a eu des difficultés passagères ; heureusement, tout va bien maintenant.

périodiquement = par périodes régulières.

redécouvrir = découvrir une nouvelle fois.

se familiariser = connaître mieux.
Au début, il se méfiait de tout le monde, et puis il s'est familiarisé avec les gens du pays.

contenter = satisfaire.
C'est un bon commerçant : il essaie toujours de contenter ses clients.

13. Population et société

1. Chomâge et population

démographique = qui concerne la population.

inciter à = pousser à, amener à.

ne... guère = ne... pas beaucoup.

ressortir. Il ressort de ces discussions que nous pourrons nous entendre. = Ces discussions montrent que nous pourrons nous entendre.

demandeur = personne qui demande.

diminution = le fait de diminuer.

considérablement = de façon très importante.

se modifier = changer.

s'allonger = devenir plus long.

main-d'œuvre = travailleurs.

supplément.
— Vous avez une chambre avec vue sur la mer?
— Oui, mais il faut payer un petit supplément : c'est 30 F de plus que pour les autres chambres.

ressource. Les ressources économiques de ce pays sont importantes : il y a beaucoup de pétrole, de fer, de cuivre...

probable. Il est probable qu'il viendra. = Il viendra probablement.

s'aggraver = devenir plus grave.

varier.
— Vous gagnez combien par mois?
— Ça varie entre 2000 et 2500 francs.

vraisemblable = probable.

s'équilibrer = trouver un équilibre.

compenser. Je ne suis pas allée au bureau hier : mais je travaillerai samedi pour compenser mes heures d'absence.

financement.
— Où avez-vous trouvé des capitaux pour monter votre entreprise?
— La Banque de Paris m'a accordé un prêt pour le financement de départ.

2. Les problèmes de natalité

natalité = rapport entre le nombre des naissances et le nombre des habitants.

renouvellement. Il y a eu un renouvellement important du personnel : 50 nouveaux employés ont remplacé les personnes qui partaient en retraite.

génération. Elle va se marier, et elle a choisi quelqu'un qui n'est même pas de sa génération : il a l'âge de ses parents!

taux.
— Pour ce prêt, quel est le taux d'intérêt?
— 12 %.

taux de fécondité ≃ taux de natalité.

facteur = cause.
Le pétrole est un facteur de réussite économique pour un pays. = Le pétrole contribue à la réussite économique d'un pays.

retarder. Son fils est malade, elle est obligée de retarder son départ : elle ne partira que la semaine prochaine.

privilégier. Ce système d'impôts privilégie certaines catégories sociales. = Ce système d'impôts est plus favorable à certaines catégories sociales.

relation = rapport entre les gens.

poursuite = le fait de continuer.
La poursuite de ce travail dépend d'un nouvel apport d'argent. = Ce travail ne pourra pas continuer sans un nouvel apport d'argent.

recul = diminution.

irréversible.
— Tu crois que le patron va vraiment renvoyer cet employé?
— Oui, sa décision est irréversible. Il n'en changera pas.

s'émouvoir. Elle est très sensible : elle s'émeut pour n'importe quoi!

convaincant = qui peut persuader.

individuel = qui concerne un individu.

affectif. Elle a des problèmes affectifs; elle aurait besoin d'être aimée, d'aimer...

idéal. C'est vraiment la maison idéale : elle est parfaite; il n'y a rien à lui reprocher.

compte-tenu de = si on tient compte de.

contrainte. Il ne doit pas fumer. C'est une contrainte que les médecins lui ont imposée.

hésitation. Il a accepté sans aucune hésitation.

urgent. Ce sont des mesures urgentes : il faut agir immédiatement.

collectif.
— Chaque personne a sa chambre?
— Non, on dort dans des chambres collectives : il y a 8 à 10 personnes.

3. Les travailleurs immigrés en France

citoyen = personne officiellement enregistrée comme étant membre d'un pays.

ressortissant. Un ressortissant français en Allemagne est un Français qui habite en Allemagne, et qui est protégé par les représentants de la France.

francophone = qui parle français.

apatride = personne qui n'est plus citoyen d'aucun pays.

abus. Cette femme travaillait 45 heures par

semaine pour un salaire inférieur au S. M. I. C. Les syndicats ont dénoncé cet abus.

bouche-trou *(familier).* Personne qui remplace quelqu'un de façon provisoire et qu'on renvoie quand on n'a plus besoin d'elle.

conjoncture = situation, circonstances.
Il veut monter une entreprise, mais la conjoncture économique n'est pas très favorable.

arrivage = quantité de marchandises qui arrivent.
Il y a eu un arrivage de poisson frais ce matin.

exercer = faire, pratiquer.

surcharge = charge trop lourde.

exploitation. Les syndicats dénoncent l'exploitation du monde ouvrier par les classes bourgeoises.

insalubre = qui est mauvais et dangereux pour la santé.

prélever. J'ai demandé qu'on prélève directement mes impôts à ma banque. Je n'aurai pas à m'en occuper moi-même.

exorbitant. 3 500 F par mois pour un deux-pièces ! Mais c'est un prix exorbitant !

termes = manière de dire quelque chose.
En ces termes = de cette manière.

recrudescence. Il y a eu une recrudescence de la natalité après la guerre. = La natalité a recommencé à augmenter après la guerre.

réflexe = action dont on n'a pas vraiment conscience.
Un enfant vient de traverser juste devant une voiture. Heureusement, le conducteur a eu le réflexe de freiner.

xénophobe. Il est très xénophobe. = Il n'aime pas les étrangers.

attribuer = donner.
La récompense sera attribuée au meilleur joueur.

quitte à = en courant le risque de.
Je préfère me lever tard, quitte à être en retard au bureau.

clandestinité. Le travail au noir se fait dans la clandestinité.

justifier = rendre compréhensible.
L'exploitation dont ils sont victimes justifie les réactions brutales de certains travailleurs.

maladresse = manque d'habileté.
Il a essayé de la rassurer, mais il lui a parlé avec beaucoup de maladresse, il lui a dit exactement ce qu'il n'aurait pas fallu dire, si bien qu'elle est encore plus inquiète maintenant !

suspension = arrêt.

vivement = violemment.

atténuer = rendre moins dur.

suspendre = arrêter.

4. La décentralisation

décentralisation = fait de répartir dans plusieurs régions des entreprises, des établissements, des organismes, qui étaient groupés au même endroit.

excepté. L'Espagne excepté = sauf l'Espagne.

faire figure de = avoir l'aspect de, être considéré comme.

sous-peuplé = où la population n'est pas assez nombreuse.

administrer = gérer quelque chose.

gouverner = diriger un pays.

quelconque. Un objet quelconque = n'importe quel objet.

concentrer = rassembler des personnes ou des choses dans un même endroit.

ressentir. **1.** Ressentir beaucoup de fatigue = éprouver beaucoup de fatigue.
2. Il a ressenti ça comme un refus. = Il a considéré cela comme un refus.

menace = danger, signe qui fait craindre quelque chose.

asphyxie. **1.** Il est mort par asphyxie (= par manque d'air).
2. = arrêt du développement, des activités d'un pays, d'un organisme.

délégation = groupe de personnes qui en représentent d'autres.

fonds = capitaux.

intervention = action d'intervenir.

implantation = fait d'installer une entreprise, un organisme.
L'implantation de cette usine a fait beaucoup de bien à la région.

firme = entreprise.

bancaire = qui concerne les banques.

processus = ensemble de phénomènes reliés entre eux qui permettent à quelque chose de se réaliser.
Les négociations sont en bonne voie. Le processus vers un accord est lancé.

amorcer = commencer.

perfectionnement. Il a déjà fait de l'anglais, mais il va suivre des cours de perfectionnement, pour parler mieux.

il importe que = il est important que...

alourdissement = surcharge.

structure. Le président va modifier la structure du gouvernement : il y aura deux secrétaires d'État qui remplaceront certains ministres.

nuire à = faire du tort à...

régionalisation = importance donnée aux différentes régions.

sens = raison d'être.

14. Loisirs et culture

1. Le festival d'Avignon

organisateur = celui qui organise quelque chose.

débordé = qui a trop de travail, trop d'occupations.
Le ménage, les courses, les enfants, le travail... Je suis vraiment débordée. Je n'arrive pas à tout faire.

sous l'impulsion de = grâce à l'action de.
Sous l'impulsion de ce chef d'entreprise, l'usine a réussi à se développer.

souhait = ce qu'on voudrait, ce qu'on espère.
Mon souhait le plus cher, c'est qu'il soit heureux.

comblé = satisfait.
C'est une femme comblée : elle a absolument tout ce qu'elle désire.

atmosphère = ambiance.
J'aime bien l'atmosphère de cette ville : elle est très animée, il y a beaucoup de commerces. Les gens ont l'air heureux.
Les négociations se sont déroulées dans une atmosphère peu agréable.

multiplication = augmentation de nombre.

débat = discussion.
Hier, à l'Assemblée, débat sur la peine de mort.

contribution = le fait de contribuer à, de participer à.

dimension.
— Quelles sont les dimensions de la pièce ?
— 4 m sur 5.

reconnu = célèbre, accepté et apprécié par la critique.

square = petit jardin public.

irremplaçable = que rien ne peut remplacer ; exceptionnel.

à la périphérie de = autour de.

assiégé. Au moment des grands départs, les guichets de la gare sont assiégés par les voyageurs : il n'y a plus moyen d'approcher !

saturation = le fait d'être saturé.
Cet élève est arrivé à saturation. Il ne peut plus rien apprendre.

2. La bande dessinée

mineur = peu important.

linguiste = personne qui travaille sur les langues et sur les moyens d'expression.

aventure = ce qui arrive à quelqu'un.

réjouir = donner du plaisir ; faire rire.

écolier = enfant qui va à l'école.

monopoliser = prendre le monopole de.
Quand elle est là, elle monopolise toujours la conversation : personne ne peut plus parler.

restreindre = diminuer.
Je n'ai presque plus d'argent : il va falloir que je restreigne mes dépenses.

se joindre à = s'ajouter à.

feuilleton = histoire racontée par morceaux dans une revue, à la radio, à la télé.

périodique = qui paraît régulièrement.

parution = le fait de paraître (en parlant d'un journal, d'un livre...).

vocation. Elle a toujours aimé la danse, elle est faite pour cela : c'est une véritable vocation.

style = façon particulière dont chacun s'exprime.

caricature = portrait que l'on fait de quelqu'un pour faire rire en insistant sur certaines caractéristiques.

éducatif = qui cherche à apprendre quelque chose.

intitulé = dont le titre est...

originalité. Ce roman n'a aucune originalité : l'histoire est absolument banale.

fantaisie. Elle a beaucoup de fantaisie : elle fait toujours des choses originales, auxquelles on n'aurait pas pensé.

3. Les prix littéraires

prix = récompense accordée dans un concours à celui qui a été considéré comme le meilleur.

littéraire = qui concerne les livres, et ceux qui les écrivent.

critique = celui qui fait la critique d'une œuvre.

souligner = mettre en évidence, insister sur.

trancher sur = être très différent de.
Cette couleur tranche vraiment sur les autres.

valeur. Achetez de l'or, actuellement c'est la seule valeur sûre. Vous ne perdrez pas d'argent.

talent. Il a beaucoup de talent. = Il est très doué.

décerner = attribuer (en parlant d'une récompense, d'un prix).

débattre de = discuter de.

houleux = très animé, où les gens ne sont pas d'accord.

sort. Le sort d'un candidat dépend du jury.

enjeu = ce qu'on risque de gagner ou de perdre.

incomber à. La réparation de cette route

incombe à la municipalité. = C'est la municipalité qui doit réparer cette route.

lauréat = celui qui gagne un prix.

écarter = mettre à l'écart.

méritant = qui a beaucoup de mérites.

écrivain = celui qui écrit des livres.

traducteur = celui qui traduit un livre dans une autre langue.

bataille = lutte.

faire couler beaucoup d'encre *(expression familière)* = provoquer beaucoup de discussions.

naïf. Il est vraiment naïf : il croit absolument tout ce qu'on lui dit, il fait confiance à tout le monde.

pression. Sous la pression des syndicats, le gouvernement a enfin pris cette décision.

pauvreté = le fait de ne pas avoir d'argent.

idéologique = qui concerne les idées, les opinions.

objectivité = le fait d'être objectif.

l'emporter = gagner.

4. Beaubourg

susciter = provoquer.

forcément = de façon nécessaire.

chaudière = appareil destiné à chauffer de l'eau pour produire de l'énergie.

frigorifique = qui produit du froid.

nulle part. J'ai cherché mes papiers partout, mais je ne les ai trouvés nulle part.

musical = qui concerne la musique.

assumer = accepter la responsabilité de quelque chose.
C'est votre travail, il faut l'assumer.

perplexe ≃ surpris.
Son attitude m'a laissée perplexe : je ne savais pas ce qu'il voulait.

négliger = ne pas s'occuper de.
Il travaille beaucoup, il sort très souvent, mais sa famille, il la néglige.

viser = chercher à atteindre ou à obtenir.
C'est un poste qu'il vise depuis longtemps. Il arrivera bien à l'obtenir.

mériter. Il a été reçu, et il l'a bien mérité : il avait tellement travaillé !

usager = celui qui se sert de quelque chose.

accéder = avoir accès à.

révolutionnaire = très original, complètement nouveau.

inauguration = le fait d'inaugurer.
L'inauguration de Beaubourg a eu lieu le 31 janvier 1977.

INDEX

Le chiffre gras renvoie au dossier, le second au texte ; ainsi abondamment, **10**.4 *se lit :* dossier 10, texte 4.

a

b

c

d

o

p

q

r

s

t

u

v

x

z

Photocomposition M.C.P. — 45460 — Fleury-les-Aubrais.

IMPRIMERIE HÉRISSEY. — 27000 - ÉVREUX.
Décembre 1980. — Dépôt légal 1980-4e. — N° 29294. — N° de série Éditeur 10970.
IMPRIMÉ EN FRANCE *(Printed in France)*. — 800005 D-3-82.